MARTINE LABONTÉ-CHARTRAND

Populaire (et superficielle)

LES ÉDITEURS RÉUNIS

Populaire
(et superficielle)

Pour Marianne, mon ancienne élève...
Bonne lecture !

[illegible]

Catalogage avant publication de Bibliothèque et Archives nationales du Québec et Bibliothèque et Archives Canada

Labonté-Chartrand, Martine, 1985-
Populaire (et superficielle)
Pour les jeunes.
ISBN 978-2-89585-691-7
I. Titre.
PS8623.A263P66 2015 jC843'.6 C2015-941132-7
PS9623.A263P66 2015

Les Éditeurs réunis bénéficient du soutien financier de la SODEC et du Programme de crédit d'impôt du gouvernement du Québec.

Nous remercions le Conseil des Arts du Canada de l'aide accordée à notre programme de publication.

Nous reconnaissons l'aide financière du gouvernement du Canada par l'entremise du Fonds du livre du Canada pour nos activités d'édition.

Édition :
LES ÉDITEURS RÉUNIS
www.lesediteursreunis.com

Distribution au Canada :
PROLOGUE
www.prologue.ca

Distribution en Europe :
DNM
www.librairieduquebec.fr

Suivez Les Éditeurs réunis sur Facebook.

Imprimé au Québec (Canada)

Dépôt légal : 2015
Bibliothèque et Archives nationales du Québec
Bibliothèque nationale du Canada
Bibliothèque nationale de France

1

La rentrée scolaire

La Cadillac CTS noire se gara devant l'entrée des élèves. Alizée habitait à deux pas de l'école, pourtant sa mère se faisait un devoir de la conduire chaque matin. Voulait-elle s'assurer que sa fille se rende bien en classe ou désirait-elle montrer sa voiture luxueuse aux autres parents ? Alizée ne le savait pas, mais elle s'en moquait. Comme tous les jours, l'adolescente attendit que sa mère ait terminé sa conversation téléphonique pour lui dire au revoir. Sa mère raccrocha et se tourna vers elle.

— Bon, ma belle, prête pour ta première journée d'école ? As-tu ton horaire ? Sais-tu où se trouve ton casier ?

— Maman, répondit Alizée d'un ton impatient, ce n'est pas ma première année à cette école, quand même.

— Moi, je dis tout ça juste pour toi. Je ne veux pas que tu aies l'air d'une perdue dans l'école.

— Ne t'inquiète pas pour moi, tout ira bien.

— Bon, très bien. N'oublie pas de bien t'alimenter et de boire beaucoup d'eau. C'est bon pour la circulation et le teint.

Ces conseils étaient superflus, mais elle les lui répétait chaque jour.

— Je vois que tes amies t'attendent déjà.

Alizée regarda par la fenêtre. Effectivement, Charlotte et Sarah, ses deux meilleures amies, l'attendaient devant l'entrée des élèves et lui faisaient de grands signes de la main en sautillant sur place. Elles avaient l'air aussi excitées que si elles voyaient une vedette débarquer. *Hum !* se dit Alizée. Elle aurait une bonne mise au point à faire avec ses amies. Elles ne pouvaient pas continuer à s'énerver de la sorte pour rien…

— Ton amie Charlotte a encore pris du poids cet été, commenta sa mère, interrompant ainsi ses pensées. Tu devrais lui dire de faire plus attention si elle ne veut pas redevenir grosse comme avant. Ça ne l'avantage pas du tout ce surplus de gras…

Sa mère avait raison. Son amie était en combat constant contre les kilos superflus. C'était d'ailleurs ce qui l'empêchait de rejoindre l'équipe de *cheerleading* de l'école. Quelle fille est intéressée à tenir une petite grassouillette à bout de bras ? Alizée regarda Charlotte plus attentivement. Son chandail de la gamme de l'école était un peu trop moulant et son jean la serrait à la taille, ce qui faisait ressortir ses petits bourrelets. Elle lui ferait le commentaire sur l'heure du dîner. C'était le meilleur moment pour la culpabiliser : pendant qu'elle se trouvait face à son lunch. Le téléphone de sa mère sonna, ce qui mit fin à leur conversation matinale. Avant de répondre, Nancy Meilleur se permit un dernier commentaire à sa fille :

— Replace tes cheveux, s'il te plaît, ils sont un peu décoiffés.

Alizée sortit de la voiture. C'était le moment de la journée qu'elle préférait : celui où elle faisait la pluie et le beau temps. Elle se dirigea vers ses amies, excitées comme des puces – après tout, elles ne s'étaient pas vues de l'été –, mais passa devant elles en les ignorant. Ces deux dernières, interloquées, regardèrent leur amie passer et lui emboîtèrent le pas silencieusement, comme si elles étaient coupables de quelque chose. Ce n'est qu'une fois rendues aux casiers qu'Alizée daigna saluer Charlotte et Sarah.

— Alors, les filles, dit-elle. Avez-vous déjeuné ?

— Non, répondit Charlotte.

— Oui, répondit Sarah.

— Eh bien, pas moi. Allons manger un bagel à la cafétéria. Charlotte, si tu veux, je t'offre un yogourt…

Cette allusion à peine subtile blessa Charlotte et mit Sarah mal à l'aise. Les deux amies n'avaient pas vu Alizée depuis deux mois et voilà comment elle les accueillait… Mais elles connaissaient Alizée et savaient qu'elle pouvait se montrer très gentille et délicate quand la situation s'y prêtait. Charlotte et Sarah parlèrent un peu de leurs vacances pendant qu'Alizée ouvrait la voie vers la cafétéria. Soudain, elle s'immobilisa et se tourna vers ses amies.

— Les filles, pourquoi avez-vous votre gamme de vêtements ? Les cours ne sont pas encore commencés…

C'était un fait connu de tous qu'Alizée dépensait une énergie folle pour ne pas porter la gamme de vêtements officielle. Ses amies se sentirent pratiquement mal d'obéir au règlement de l'école. D'ailleurs, à peine furent-elles sorties des vestiaires que la directrice apostropha Alizée.

— Alizée (elle la connaissait par son prénom, depuis le temps), bonne rentrée ! Puis-je savoir où est ta gamme ? Tu souhaites commencer l'année du bon pied, j'espère…

— Bonjour madame Duguay, vous semblez en pleine forme ! Quelle belle jupe ! commenta Alizée hypocritement. Je me dirigeais justement vers le casier pour mettre ma gamme.

— Parfait, répondit la directrice, bonne journée. À vous aussi les filles, ajouta-t-elle à l'intention de Charlotte et de Sarah, qu'elle ne connaissait pas.

Mme Duguay regarda Alizée se diriger vers les vestiaires. Il était évident que la jeune fille lui mentait, mais que pouvait-elle y faire ? Elle espéra sérieusement qu'elle avait changé durant les vacances d'été. L'année précédente n'avait pas été de tout repos. Alizée s'était retrouvée impliquée dans plusieurs situations délicates, mais il avait été impossible de la punir, faute de preuves. Elle restait toujours polie et mielleuse, avouait toujours ses torts et s'excusait lorsqu'elle commettait une « erreur », mais recommençait par la suite sans scrupule. Il était difficile de la punir, car elle avait de bonnes notes et était très intelligente. En plus, sa mère montait aux barricades dès que sa fille chérie était accusée « à tort ». Oui, cette Alizée était définitivement une élève spéciale.

Quelques minutes plus tard, les filles ressortirent du vestiaire. Alizée portait le gilet de sa gamme sur son épaule. Elle l'enfilerait plus tard. Une fois installées à une table, elle laissa ses amies la mettre au courant des nouveautés dans l'école pendant qu'elle déjeunait. Charlotte, qui n'avait pas déjeuné non plus, se contenta de reluquer son bagel, mais ne commanda rien à la cafétéria.

— Il semble que Janie et Benoît aient recommencé à sortir ensemble, annonça Sarah. C'est Julie qui me l'a dit hier.

— Ah oui, dit Alizée, je pensais que Janie sortait avec Laurent. Si elle sort avec Benoît, maintenant, c'est une vraie salope cette fille-là.

Et elle pouffa de rire, imitée par ses deux amies. Des couples s'étaient formés et d'autres avaient rompu pendant l'été. Sarah annonça qu'elle-même avait quitté Jérémie, son chum de l'an passé, et qu'elle avait rencontré quelqu'un d'autre.

— Tu as bien fait de le laisser, commenta Alizée. La seule chose qu'il pouvait t'offrir était une promenade en scooter. Te serais-tu vue là-dessus ? Tu aurais l'air d'une vraie folle avec ton casque. C'est sûr que je t'aurais ignorée si je t'avais croisée. J'espère que ton nouveau chum est plus vieux et qu'il a une voiture.

— Non, il n'a pas de voiture.

Sarah n'en rajouta pas, ne souhaitant pas que son amie trouve des défauts à son nouveau copain. Elle préféra orienter la conversation vers l'horaire des cours. Cette année-là, malheureusement, les trois filles n'avaient aucun cours en commun. Plus douée que ses amies à l'école, Alizée suivait des cours enrichis. Charlotte reprenait son français de deuxième secondaire ; elle avait plus de difficulté dans cette matière, mais persévérait, car elle souhaitait devenir vétérinaire. D'ailleurs, Alizée lui répétait souvent en se moquant « qu'elle était très motivée à se rentrer le bras jusqu'au coude dans le derrière d'une vache », ce qui dérangeait toujours son amie. Sarah, elle, était dans le groupe artistique. Les trois filles se verraient donc le matin, aux pauses et sur l'heure du dîner. Au moins, leurs casiers étaient proches ; ainsi, elles pourraient discuter entre les cours et se rapporter toutes les dernières nouvelles. La cloche sonna, annonçant le début de la première période. Charlotte et Sarah bondirent sur leurs pieds, mais Alizée resta assise. Elle terminerait tranquillement son bagel. Pourquoi se presser d'arriver en classe quand elle savait pertinemment que la première demi-heure du cours était réservée à la présentation des élèves et de l'enseignant ? Ses deux amies hésitèrent entre se rendre en classe ou rester assises à la cafétéria. Finalement, elles s'éclipsèrent sous le regard moqueur d'Alizée. La salle se vida rapidement et cette dernière savoura son moment de brève solitude, jusqu'à ce que le gardien de sécurité intervienne et la force à se rendre en classe. Elle prit son temps, rangea tranquillement ses livres dans son casier et, après un moment qui lui sembla convenable pour faire une entrée remarquée dans son cours de français, elle se rendit au numéro de local figurant sur son horaire. Elle enfila sa gamme, frappa à la porte et revêtit son «sourire commercial», c'est-à-dire un large sourire totalement faux. Un jeune enseignant lui ouvrit la porte. Surprise – les enseignants de français masculins étaient plutôt rares –, elle s'excusa pour son retard en battant des cils. Il la laissa entrer et lui indiqua un bureau libre en avant de la classe. Comme Alizée l'avait deviné, son enseignant était en train de se présenter. Il reprit là où il s'était arrêté.

— Comme je disais avant cette interruption, dit-il en jetant un coup d'œil à Alizée qui s'installait tranquillement à sa place, j'en suis à ma quatrième année d'enseignement. Je suis nouveau à cette école, mais je suis très content d'être ici cette année! Je suis certain que nous trouverons le moyen de nous amuser, même dans un cours de français, ajouta-t-il d'un ton enthousiaste.

Alizée observa son nouvel enseignant pendant qu'il continuait sa présentation. Il s'appelait M. Tessier. C'était un bel homme, il serait agréable de le regarder pendant soixante-quinze minutes chaque jour. Son petit discours terminé, il proposa aux élèves de se présenter un à un, en quelques mots, question d'apprendre à les connaître rapidement. Alizée fut la première volontaire. Sans qu'on le lui demande, elle se leva et se rendit en avant de la classe, comme si elle faisait un exposé oral.

— Bonjour chers collègues de classe, bonjour monsieur Tessier, commença-t-elle en souriant. Pour ceux et celles qui ne me connaissent pas, ce qui doit être rare – elle accompagna cette réplique d'un petit rire – je m'appelle Alizée Meilleur. J'ai quatorze ans, presque quinze. Je suis une fille qui aime les beaux gars – regard à son enseignant – la mode, le magasinage et la musique. Je suis à l'affût de toutes les nouveautés. Ma mère est représentante pharmaceutique et je n'ai pas de père. Je suis née grâce à la fécondation *in vitro*, c'est pourquoi je suis aussi belle et intelligente, blagua-t-elle. Ma mère a choisi le géniteur parfait !

Ce n'était un secret pour personne qu'Alizée n'avait pas de père. Toute l'école était déjà au courant, tellement elle en faisait un cas. Elle n'avait aucune gêne à ce sujet, sa mère non plus d'ailleurs. Nancy Meilleur, âgée de vingt-sept ans à l'époque, décida qu'attendre l'homme idéal pour avoir des enfants était un processus beaucoup trop long pour elle. Elle se lança donc seule dans l'aventure, choisissant minutieusement toutes les caractéristiques de son donneur. Son choix fut payant, car Alizée était effectivement une beauté.

— Mais j'ai un beau-père qui m'élève comme si j'étais sa fille depuis maintenant douze ans. Ah oui ! je fais aussi partie de l'équipe de *cheerleading* de l'école. Nous sommes en recrutement, les filles, pensez-y si ça vous intéresse. Je vous souhaite à tous une très belle année scolaire, à vous aussi, monsieur Tessier ! conclut-elle.

M. Tessier fut estomaqué par cette présentation. Non seulement son élève s'exprimait bien, mais elle avait une façon bien à elle de charmer son public. Déjà, il était intrigué par cette fille.

À la première pause, les trois amies se rencontrèrent quelques minutes et échangèrent leurs impressions sur cette première période.

— J'ai encore Mme Beaupré en français, se plaignit Charlotte. C'est ma mort assurée, cette année.

— Eh bien, si tu t'étais forcée davantage l'année passée, tu n'aurais pas à subir ce calvaire, répondit calmement Alizée. Et toi, Sarah, comment a été ta première période ? demanda-t-elle sans se rendre compte que Charlotte avait été blessée par sa remarque.

— Bien, j'étais en art. C'est encore Mme Simard qui m'enseigne, mais je l'aime bien.

— Chanceuse ! dit Charlotte qui souhaitait attirer l'attention de façon plus positive. Et toi, Alizée, ton cours de français ?

— Le prof m'aime déjà, j'en suis sûre, et il est beau en plus. Vous auriez dû voir mon exposé, j'ai été géniale. En tout cas, moi je vais me rincer l'œil toute l'année en français pendant que vous allez regarder vos vieilles madames plates et rigides.

Sarah et Charlotte furent un peu jalouses de leur amie. Elles avaient entrevu l'enseignant en question ; c'est vrai qu'il était beau.

— Je l'aurai peut-être l'an prochain en français de trois, espéra Charlotte.

— Tu es mieux de travailler fort cette année si tu veux te rendre là, dit Alizée. Tiens, je vois Amélie. Je vais aller lui parler pour l'équipe de *cheers*. On se voit sur l'heure du dîner. Bye les filles !

Alizée discuta quelques minutes avec son autre amie. Celle-ci avait une bonne nouvelle à lui partager. Leur entraîneuse lui avait annoncé qu'elles auraient de nouveaux uniformes cette année, les vieux étant affreux. Ils seraient distribués à temps pour leur compétition du mois de novembre, mais pas avant.

— J'ai hâte de voir ça, dit Alizée. J'espère que la *coach* a fait un peu de ménage dans l'équipe. Les filles poches, je suis plus capable... Il y en a que je ne peux même plus sentir. Même une pause de deux mois n'a pas augmenté ma tolérance à leur égard.

— Il y en a certaines qui ne seront plus là, je pense. On verra bien. Est-ce que Charlotte veut encore faire l'équipe ? demanda Amélie.

— Oui, mais n'en parle pas trop. Je ne suis pas certaine qu'elle y arrivera. Il faudrait qu'elle perde quelques livres et tu la connais, elle est toujours à se gaver de cochonnerie.

En fait, Charlotte était loin de se gaver continuellement. Au contraire, elle réduisait au minimum ses portions et présentait même quelques symptômes de boulimie. Ses parents commençaient à s'inquiéter, mais l'obsession de Charlotte pour l'équipe de *cheerleading* dépassait l'entendement.

— Je vois, dit Amélie. On n'a pas besoin d'une fille pas trop fiable dans l'équipe. Il faut quelqu'un sur qui on peut vraiment compter et... qu'on peut soulever. Ha ! ha ! Bon, on en reparlera. Je vais à mon cours. On se voit à la pratique demain.

— OK, bye !

La deuxième période se déroula sans encombre. C'était un cours d'histoire. Pendant que l'enseignante parlait, Alizée jasa discrètement avec une autre amie, question de s'approprier les derniers ragots de l'été, de savoir ce qui s'était passé alors qu'elle était à Boston. En effet, puisque sa mère et son beau-père devaient tous les deux assister à plusieurs congrès dans cette ville, ils avaient décidé de s'y installer pour l'été. Alizée attendit l'heure du dîner avec impatience pour raconter à ses amies toutes les expériences extraordinaires qu'elle avait vécues durant son séjour là-bas.

Le cours passa avec une lenteur exaspérante. Finalement, la cloche sonna. Alizée prit son lunch dans son casier et se dirigea vers la cafétéria sans attendre ses amies. Elles viendraient la rejoindre, elle n'en douta pas une seconde. Quelques minutes plus tard, elle les vit arriver, accompagnées d'une autre amie. Alizée eut donc un plus grand public à qui raconter son été extraordinaire. Bon, il n'avait pas été SI extraordinaire, mais elle avait longuement réfléchi aux détails qu'elle pourrait enjoliver. Qui le saurait, de toute façon ? Elle ne poussa pas la limite jusqu'à inclure un garçon dans son récit. Il fallait rester crédible. Les trois filles écoutèrent son histoire attentivement, s'exclamant aux bons moments.

— Chanceuse, dit Charlotte qui piochait dans sa salade verte qu'elle mangeait sans vinaigrette. Tu as toujours des étés extraordinaires. J'aimerais ça, moi aussi, voyager comme toi, voir des concerts, faire des tours en hélicoptère. Moi, j'ai gardé ma petite sœur. C'était vraiment poche.

— Ta mère a vraiment loué un hélicoptère privé pour faire le tour de la ville ? demanda Sarah, plus suspicieuse que Charlotte.

— Ben oui, vous connaissez ma mère, pas question qu'elle partage son espace personnel avec des étrangers. Bon, les filles, je dois vous quitter. L'équipe de *cheers* doit se préparer pour le spectacle de la rentrée la semaine prochaine. À plus tard !

Ses amies la saluèrent joyeusement. Ouf ! Il faudrait qu'elle dise à sa mère de confirmer son petit mensonge à ses amies. Mais ce ne serait pas la première fois que sa mère mentirait pour elle.

La première semaine d'école passa et les filles reprirent la routine scolaire rapidement. Chaque année, une journée d'activité clôturait la fin de la deuxième semaine. Pour l'occasion, il y avait des jeux, des courses, des ateliers divers et, bien sûr, une partie de football. Le tout couvert joyeusement par l'équipe de *cheerleading*. Alizée enfila son costume avec dédain. Elle avait hâte de revêtir leur nouvel uniforme, car l'ancien laissait vraiment à désirer. Les filles s'étaient entraînées toute la semaine pour être prêtes pour le match. Après un été de congé, la routine avait été longue à rétablir. Mais Alizée, capitaine de l'équipe, s'était assurée que tout son petit monde réaliserait le numéro avec brio. Les estrades étaient remplies, les joueurs prêts à commencer le match ; il ne manquait que le spectacle d'ouverture. Alizée donna le signal aux filles et elles entamèrent leur routine habituelle. Tout fonctionna comme sur des roulettes jusqu'à la fin du numéro. Une des filles fut déséquilibrée lorsque son pied frappa une inégalité du terrain. Ce trou dans le gazon scella le destin de deux jeunes filles. Celle qui avait la malchance de se trouver en haut de la pyramide fit une chute de près de deux mètres et se cassa une jambe. Charlotte, assise dans les gradins, réalisa que cette chute était une chance inouïe pour elle. Elle se tourna vers son amie Sarah qui regardait la scène, médusée, et lui dit :

— Enfin, il y a une place pour moi dans l'équipe de *cheers*. Quelle bonne nouvelle !

2
L'Halloween

Le malheureux incident jeta un froid sur la partie de football. Comme il fallut près d'une heure pour évacuer la blessée, les estrades se vidèrent. Même l'équipe adverse proposa de remettre la partie. Le moral n'y était plus. La seule qui semblait fébrile était Charlotte. Elle tournait autour de l'équipe de *cheers*, croyant presque que la *coach* allait la recruter immédiatement et lui demanderait même de monter au sommet de la pyramide pour continuer le spectacle. Il fut finalement décidé que la partie aurait lieu. Alizée et ses équipières retournèrent au vestiaire la mine basse, laissant Charlotte bredouille. Cette dernière ne perdit pas espoir : on lui donnerait sa chance, elle en était sûre.

L'événement alimenta les conversations pendant plusieurs semaines. La pauvre fille blessée était de retour à l'école, mais plus question pour elle de faire du sport pour les prochains mois. Alizée devait commencer sa campagne de recrutement pour trouver une remplaçante, mais elle ne semblait pas pressée. Charlotte, elle, n'en pouvait plus d'attendre. Elle voulait montrer à l'équipe de quoi elle était capable, mais chaque fois qu'elle abordait le sujet avec Alizée, cette dernière la rabrouait durement :

« Ayoye ! Tu es vraiment fatigante, disait-elle. J'ai compris que tu voulais faire partie de l'équipe. Reviens-en, OK ? Si tu as à être appelée, tu le seras. Mais je ne suis pas la seule à décider et il y a d'autres filles plus minces et expérimentées qui sont aussi intéressées… »

Charlotte était blessée, mais ne comptait pas lâcher le morceau. Elle décida toutefois d'espacer ses demandes et d'attendre qu'Alizée lui fasse signe le moment venu. Cependant, à la mi-octobre, elle n'avait toujours pas de nouvelles et commençait à désespérer. Elle décida d'aborder le sujet sur l'heure du dîner.

— Alizée ? Comment va le recrutement pour les *cheerleaders* ? demanda-t-elle d'un ton qu'elle espérait nonchalant.

Alizée prit son temps pour répondre. Elle termina sa bouchée et avala une longue gorgée d'eau.

— Bien, répondit-elle finalement. Nous avons deux ou trois filles en vue…

Mais elle n'en dit pas davantage, laissant encore une fois son amie dans l'incertitude. Charlotte n'arrivait pas à savoir si elle avait des chances.

Elle n'en dormait plus la nuit tellement son désir de rejoindre l'équipe était grand. Sarah, qui avait bien saisi les espoirs de son amie, préféra changer de sujet pour éviter une autre discussion interminable.

— Dans mon cours d'art, commença-t-elle, la prof veut qu'on choisisse un modèle et qu'on le peigne. Les tableaux seront exposés à l'agora. J'ai pensé à toi comme sujet, Charlotte.

— J'espère que ta toile sera assez large, grommela Alizée.

Elle ignora le regard méchant de Sarah et celui, beaucoup plus triste, de Charlotte.

— Pourquoi moi ? demanda Charlotte.

— Eh bien, nous devons choisir un modèle pour une de ses caractéristiques particulières. J'ai pensé à toi à cause de tes yeux. Ils sont trop beaux ! Ce serait un bon défi pour moi de tenter de les reproduire en peinture.

Il était vrai que Charlotte avait des yeux magnifiques. D'un vert tirant sur le jaune avec de subtiles paillettes dorées, ils étaient bordés de longs cils noirs. Elle avait un regard de chat qui faisait oublier ses autres petits défauts. Toutes les filles enviaient ses yeux, même Alizée qui en avait fait le reproche à sa mère. N'avait-elle pas considéré ce facteur lorsqu'elle avait choisi son géniteur ? La mère d'Alizée ayant elle-même les yeux bruns, la jeune fille avait de bonnes chances d'avoir les yeux foncés, ce qui était le cas. Charlotte, de son côté, fut très flattée par la proposition de son amie. Mais elle n'eut pas le temps de répondre, car, ne souhaitant pas rester en dehors du lot, Alizée enchaîna avec une autre nouvelle.

— Dans mon cours de français, M. Tessier souhaite que nous fassions une recherche et un exposé oral sur un sujet d'actualité qui nous touche particulièrement. Je pense que je parlerai de l'inceste au sein des familles québécoises. Tu en penses quoi, Sarah ?

Sarah comprit tout de suite l'allusion de son amie et cela la mit grandement mal à l'aise. Aussitôt, elle ressentit le regret de s'être un jour confiée à Alizée. Charlotte, elle, ne perçut pas le malaise et approuva même l'idée d'Alizée, ajoutant qu'il était vrai qu'on n'en parlait pas assez dans la société actuelle. Le sujet était encore tabou en 2015. Pendant ce temps, elle ne remarqua pas que Sarah semblait perdue dans ses pensées. Quelques années plus tôt, alors qu'elles étaient au primaire et qu'elles ne connaissaient pas encore Charlotte, Alizée et Sarah étaient de très bonnes amies et passaient le plus clair de leur temps ensemble. À la veille du temps des Fêtes, comme chaque année, Alizée se plaignait du fait qu'elle n'avait pas vraiment de famille à visiter et qu'elle serait prise deux longues semaines à la maison avec sa mère et son beau-père. Sarah lui avait répondu qu'elle était plus chanceuse qu'elle le pensait de ne pas avoir d'oncles et de tantes. Ne comprenant pas le commentaire, Alizée avait insisté auprès de Sarah et cette dernière avait fini par lui confier son plus grand secret : alors qu'elle était âgée de trois ans, son oncle, le frère de sa mère, avait abusé d'elle. Cet acte déroutant s'était justement produit durant le temps des Fêtes, pendant que l'oncle en question la gardait. L'événement n'avait eu lieu qu'une fois, la petite Sarah étant allée demander à son papa s'il était normal que l'oncle Martin lui demande de caresser son pénis. Le père de Sarah, Stéphane, était immédiatement allé confronter son beau-frère qui, bien sûr, avait tout nié, mais Stéphane avait tout de même cru sa petite fille. Le premier réflexe de la mère de Sarah, Joanne, fut de défendre son frère. Toutefois, quelques semaines plus tard, l'oncle agresseur récidiva et se retrouva en prison. Joanne eut beau s'excuser auprès de Stéphane, son couple ne survécut pas à l'événement. Quelques mois plus tard, elle déménagea dans une autre ville où elle avait trouvé un nouvel emploi et, ne voulant pas trop changer l'environnement de Sarah, elle la laissa à la garde de son père. Peu à peu, à cause de la distance, les liens s'estompèrent. La jeune fille grandit donc sans sa mère et ce n'était que récemment qu'elles avaient recommencé à se voir plus régulièrement. Alizée était la seule personne à qui elle avait raconté son histoire. Elle avait peu de souvenirs de l'événement et cela ne la perturbait pas tant que ça. Ce qui la dérangeait le plus, maintenant, c'était que son amie soit au courant de son histoire… D'ailleurs, lorsqu'elle avait dit à son père qu'elle avait mis son amie au courant de son secret, ce dernier n'avait pas du tout approuvé son geste. Il n'aimait pas beaucoup Alizée, ni sa mère, qu'il trouvait superficielles. Il avait donc mis sa fille en garde : elle ne devait plus jamais raconter cette histoire à quiconque.

En écoutant distraitement Alizée papoter sur l'inceste dans les foyers au Québec, la mise en garde de son père repassait en boucle dans la tête de Sarah. Pouvait-elle faire confiance à son amie ? La trahirait-elle ? Il y a de cela quelques années, jamais elle n'en aurait douté, mais maintenant...

— Et toi, Sarah ? demanda Charlotte. Es-tu d'accord avec moi ?

— Quoi ? J'étais dans la lune, répondit Sarah. Vous parliez de quoi ?

— Ahhh ! En voilà une qui pense à son chum, c'est sûr !… Et puis, l'avez-vous fait, finalement ?

Tu m'as dit que ses parents n'étaient pas là en fin de semaine, chuchota Charlotte en changeant de sujet.

— Non, on ne l'a pas «fait». Ça fait juste six semaines qu'on sort ensemble. Je ne suis pas si pressée que ça de me retrouver dans son lit.

— Pourtant, tu ne te gênes pas pour baisser tes petites culottes plus vite que ça d'habitude, la nargua Alizée en la regardant droit dans les yeux. T'as couché avec combien de gars, déjà?

Sarah ne répondit pas, mais elle se leva et ramassa son sac. Charlotte fut déçue de ne pas avoir plus d'informations. Étant elle-même encore vierge, elle était toujours à l'affût de détails concernant la vie sexuelle de son amie. Elle avait imaginé au moins une centaine de scénarios différents concernant le déroulement de sa première fois. Bien sûr, elle se doutait que ce serait douloureux, mais elle ne pensait qu'au plaisir qui s'ensuivrait. Secrètement, elle espérait que ce serait avec Mathieu, l'un des plus beaux gars de quatrième secondaire. Mais il faudrait qu'il lui parle, pour commencer… Quoi qu'il en soit, c'était une autre bonne motivation pour perdre encore un peu de poids.

— Bon, Charlotte, tu es d'accord pour faire office de modèle ? demanda Sarah, prête à partir. On pourrait se voir après l'école pour une première pose.

— Bien sûr ! C'est *cool* comme idée ! Je te rejoins à ton casier.

Sans saluer Alizée, signe qu'elle était en colère, Sarah prit la direction de sa classe d'art.

— Pourquoi elle est fâchée, tu penses ? demanda Charlotte à Alizée.

— Elle doit être embarrassée. Si jeune et déjà autant de gars à son actif. Pas étonnant que les autres filles la traitent de salope dans son dos. J'ai même entendu dire qu'elle avait déjà attrapé une chlamydia, dit Alizée sur le ton de la confidence.

— Ben voyons donc, elle nous l'aurait dit si c'était arrivé...

— Tu penses ? Moi, j'aurais honte à sa place. Tu es bien mieux qu'elle ; au moins tu ne couches pas avec le premier venu.

Charlotte ne sut pas comment réagir face à ce commentaire. Devait-elle être contente qu'Alizée lui fasse enfin un compliment ? Mais en était-ce bien un ? Avait-elle seulement des chances de coucher avec un gars qui lui plaisait ou son amie disait-elle cela en sachant fort bien que les possibilités de Charlotte de se trouver un chum étaient plutôt nulles ? D'un autre côté, elle n'aimait pas particulièrement qu'Alizée parle dans le dos de Sarah de la sorte…

Alizée se leva soudainement et l'abandonna à sa réflexion, laissant tous ses déchets du dîner traîner. Charlotte resta seule à la table, contemplant les restants d'un petit gâteau au chocolat et les quelques frites éparses à côté du hamburger que Sarah avait à peine entamé. Regardant autour d'elle d'un air coupable, elle engouffra tout ce qui se trouvait dans l'assiette avant d'aller jeter les restes aux poubelles. Comme c'était bon… Mais bientôt, la culpabilité la submergea. Elle regarda l'heure. Plus que quinze minutes avant le début des classes. Avait-elle le temps d'aller courir au gymnase pour brûler les calories avalées ? Non, elle arriverait en retard à son cours, tout essoufflée et échevelée. Elle n'avait qu'une solution… les toilettes du troisième étage, qui étaient toujours désertes à cette heure. Sous le regard scrutateur d'Alizée, qui avait vu toute la scène et qui ne doutait pas un instant de l'endroit où se dirigeait Charlotte, cette dernière prit la direction de la salle de bain avec la ferme intention de bien vider son estomac trop rempli.

Alizée, elle, décida d'aller à la rencontre de son enseignant de français. Elle avait hâte de soumettre son idée de projet à M. Tessier. Elle savait qu'il était souvent dans son local avant le début du cours. Elle aurait le temps de lui parler seule à seul. Peut-être le questionnerait-elle sur sa vie en dehors de l'école? Il était discret, mais ne portait pas d'alliance. Elle se demandait s'il avait une copine. Comme prévu, M. Tessier était bien assis à son bureau devant une pile de dictées à corriger. Il fronçait les sourcils tellement il était concentré. Alizée s'arma de son plus beau sourire, replaça ses cheveux comme le lui avait appris sa mère et cogna à la porte. Quand elle s'adressait à un homme, elle baissait toujours son ton de voix d'un cran, trouvant qu'une voix plus grave avait l'air plus *sexy*. Un autre truc de sa mère.

— Monsieur Tessier, puis-je vous parler?

Il sursauta, mais sourit en la reconnaissant. Alizée entra dans la classe sans attendre d'y être invitée et referma la porte derrière elle. Son enseignant étira le cou, comme pour voir si une autre personne était cachée derrière elle, ce qui n'était évidemment pas le cas.

— Bien sûr, Alizée, entre, je t'en prie, prit-il la peine de dire même si elle se tenait déjà près de son bureau.

Le jeune enseignant se leva et se dirigea vers la porte, qu'il rouvrit. Il trouvait Alizée intelligente et agréable, mais elle le mettait toujours un peu mal à l'aise. Il ne souhaitait pas se trouver enfermé avec elle dans un local. C'était l'une des premières choses qu'il avait apprises en tant qu'enseignant masculin : ne jamais rester seul, la porte fermée, avec un ou une élève. La déambulation des adolescents dans le corridor le rassura. Il se tourna et sourit à Alizée, qui le regardait d'un air charmeur. Il attendit qu'elle prenne la parole, gardant toujours une distance respectable avec elle.

— Je voulais vous parler du projet de français, annonça-t-elle.

— Ah oui ! As-tu trouvé un thème intéressant ?

— Oui, justement. J'aimerais parler de l'inceste au sein des foyers québécois. Je pense qu'il s'agit d'un bon sujet. On traite beaucoup de pédophilie ou de pornographie juvénile dans les médias, mais je trouve que nous sommes mal informés sur l'inceste. À croire qu'avec l'accession à la technologie, ce phénomène n'existe plus. Je souhaiterais trouver des statistiques, voire des témoignages pour étoffer mon projet.

— Des témoignages ? N'est-ce pas un peu délicat ? Comment penses-tu recruter des victimes d'inceste qui souhaiteraient partager leur histoire ?

Je veux bien croire que c'est plus fréquent qu'on le pense, mais les gens ne se promènent pas avec le mot *inceste* tatoué sur le front…

Le manque d'enthousiasme de son enseignant pour son projet ne plut pas à Alizée. Il est vrai qu'à la base, elle avait choisi ce sujet plus pour narguer son amie que par intérêt réel. Mais en y repensant bien, son esprit analytique souhaitait en connaître un peu plus. Comment un homme comme l'oncle de Sarah pouvait-il avoir de l'intérêt pour une enfant de trois ans, la fille de sa propre sœur ? Ce n'était pas normal…

— Vous sous-estimez mes capacités, affirma-t-elle. Je suis certaine que mon projet sera le plus étoffé et le plus intéressant de toute la classe.

— Bien sûr, renchérit M. Tessier. Si tu souhaites vraiment aborder le thème de l'inceste, libre à toi. Mais es-tu certaine d'être à l'aise avec ce choix ?

— Oh oui, il n'y a rien avec quoi je ne sois pas à l'aise, monsieur, dit-elle en se penchant un peu vers lui.

Sa longue chevelure effleura la manche de la chemise de son enseignant. Il retira son bras, comme s'il avait été brûlé par le contact.

— Très bien, conclut-il en se dirigeant vers le tableau pour y écrire le plan de son cours, qui commencerait sous peu. J'ai hâte d'entendre ce que tu as à dire. Mais n'oublie pas de mettre les autres élèves en garde avant de présenter des faits qui pourraient bouleverser les cœurs sensibles. On ne sait jamais ce que les autres élèves vivent à la maison…

— Ne vous inquiétez pas, monsieur Tessier, s'il y a une personne à l'école au courant des petits secrets des gens, c'est bien moi ! conclut-elle d'un air suffisant.

Alizée sortit de la classe, laissant en plan son enseignant qui arborait un air plus qu'éberlué.

Le froid entre Sarah et Alizée ne dura que quelques jours. Sarah, très contente de son œuvre artistique, commentait allégrement le tout sous l'oreille attentive de Charlotte, fière que ses yeux soient si bien représentés. Après avoir longuement discuté des talents de peintre de Sarah, un autre sujet fut abordé, celui de l'Halloween. Alizée arriva avec son plateau-repas, interrompant les deux jeunes filles qui discutaient costumes.

— Je lis les *Trois Mousquetaires* dans mon cours de français, commença Charlotte.

— Vraiment ! C'est drôle, je le lis aussi en anglais, renchérit Sarah. J'aurais aimé le lire en deux, comme toi. De cette façon, je comprendrais un peu plus l'histoire...

— Je te ferai un résumé, si tu veux.

— Moi, si j'étais toi, je n'écouterais pas le résumé de Charlotte. Je louerais le film, à la place, commenta Alizée qui venait de s'asseoir, jetant encore une fois un froid dans la conversation.

— J'ai pensé, continua une Charlotte un peu moins enthousiaste, qu'on pourrait se déguiser en trois mousquetaires pour l'Halloween. Ce serait drôle et thématique. Tout le monde connaît cette histoire ! Ma mère pourrait nous aider à faire nos costumes ; elle est assez bonne en couture. On pourrait aussi se faire de grands chapeaux avec des plumes. Ça vous tente ?

— Wow, c'est vraiment une bonne idée, s'exclama Sarah. On aurait une bonne chance de gagner le concours de costumes pour une fois ! T'embarques avec nous, Alizée ?

L'interpellée croisa les bras et secoua la tête en signe de découragement, faisant perdre d'un coup le sourire à ses deux amies.

— Vous n'avez rien compris, les filles. Premièrement, pour que votre idée fonctionne, il faudrait être quatre. Parce qu'il y a QUATRE mousquetaires. Vous oubliez D'Artagnan... Et de toute façon, on a presque quinze ans. Pourquoi on se déguiserait à l'Halloween ? Vous ne croyez tout de même pas que je vais rester pour participer à leur stupide fête.

— Mais t'es pas obligée de rester pour la fête, tenta Charlotte. Tu peux faire le concours de costumes avec nous et retourner chez toi après...

— De toute façon, tant qu'on ne peut pas se déguiser *sexy*, je ne vois pas le but de se costumer. Non, moi je ne me déguiserai pas. Mais faites à votre guise. Les deux mousquetaires, ce n'est pas si mal que ça.

— Je ne sais pas, dit Sarah. L'idée des trois mousquetaires me plaisait bien. Mais Alizée a peut-être raison. On est un peu vieilles pour se déguiser...

— Mais ma mère organise une super fête d'Halloween chez nous, continua Alizée. Vous pouvez venir, c'est en soirée. Là, vous pourrez vous déguiser et pas de limite dans le déguisement !

L'idée de passer la soirée avec des adultes qu'elles ne connaissaient pas ne plut pas particulièrement aux deux filles, mais elles se promirent d'y penser. La conversation se tourna vers des sujets plus neutres. Entre autres, Sarah pensait laisser son chum. Elle le trouvait ennuyant; il ne pensait qu'à voir ses amis. Elle avait peut-être déjà un autre gars en vue. La facilité avec laquelle Sarah changeait de copain impressionnait toujours Charlotte qui – elle ne l'avait jamais dit à personne – n'avait jamais même embrassé un garçon. Elle avait du chemin à faire si elle voulait un jour rattraper son amie. Pour une fois, Alizée n'émit aucun commentaire. Elle pensait à l'Halloween. Avant que ses amies n'abordent le sujet, elle n'avait pas réfléchi à la question d'un déguisement. Bien sûr, elle se déguiserait le soir pour la fête de sa mère. Une idée germa dans son esprit. Elle jouerait un bon tour à Charlotte et Sarah.

Les trois filles ne parlèrent plus de l'Halloween. Non plus de la fameuse fête organisée par la mère d'Alizée. Quelques élèves parlaient de la possibilité de faire un *party* chez l'un d'eux. Tout le monde était invité. Charlotte vit là la chance de peut-être voir Mathieu en dehors de l'école. Sarah, elle, pensa à la possibilité de croiser le nouveau gars qui l'intéressait. Les deux filles ne parlèrent pas de leur plan à Alizée.

Le 31 octobre, fidèles à leur habitude, Charlotte et Sarah attendirent leur amie devant l'école. Elles virent une grande majorité d'élèves arriver costumés et rirent même de plusieurs d'entre eux, trouvant leurs déguisements très originaux. Elles-mêmes étaient habillées en civil finalement. Charlotte poussa Sarah du coude pour lui montrer trois filles habillées en mousquetaires.

— Apparemment, elles n'ont pas compris qu'il faut être quatre pour porter ce déguisement, dit-elle.

Mais au fond, elle fut un peu triste de ne pas avoir mis son plan à exécution. Le costume des filles était très beau, mais elle était certaine qu'elle aurait fait bien mieux avec l'aide de sa mère. Charlotte et Sarah attendirent encore un moment Alizée, mais en vain : cette dernière ne se pointa pas le bout du nez. Voyant bien qu'aucune Cadillac CTS n'entrait dans le stationnement et la sonnerie de la cloche leur rappelant que les cours commenceraient sous peu, les deux filles prirent la direction de l'établissement. Peut-être qu'Alizée était souffrante ? Elle ne leur avait pas dit qu'elle planifiait être absente. *Quelle journée ennuyante pour être malade !* se dirent-elles.

Comme lors de toutes les fêtes, il fut difficile de faire travailler les élèves ce matin-là. Dès l'heure du dîner, un après-midi d'activités commença. Le tout débuta avec le fameux concours de costumes. Tous les élèves se rassemblèrent à l'agora, laissant l'espace au centre libre pour ceux qui souhaitaient parader. Une enseignante déguisée en « Où est Charlie ? » invita tous les participants à défiler devant un groupe de juges composé d'enseignants. M. Tessier était du lot, habillé pour l'occasion en Capitaine America, bouclier et masque bien en évidence. Les élèves défilèrent un à un, montrant leur costume, sous les encouragements de ceux qui ne participaient pas au concours. Le trio « mousquetaires » eut un effet monstre et comme l'enseignante de français de Charlotte faisait partie des juges, il était évident que son vote serait en leur faveur. Une candidate surprise défila en dernier et fit tout un spectacle sur une musique rythmée. Comme dans les films d'adolescents où tout semble coordonné, et ce, sans la présence d'un metteur en scène, la musique débuta dès qu'Alizée mit le pied dans l'agora. Tous les autres participants du concours semblèrent s'effacer pour lui laisser la place. Alizée apparut, resplendissante dans le tout nouveau costume de *cheerleaders* flamboyant, celui que personne, sauf la *coach*, n'avait encore vu ou porté. Alizée, ancienne gymnaste – ce qui lui avait assuré une place de premier choix dans l'équipe –, éblouit la foule avec sa prestation digne des plus grandes compétitions. À la fois craintif à l'idée qu'elle se blesse sur le ciment de l'agora et admiratif de la voir effectuer toutes ces cascades, le public l'encouragea et l'applaudit à tout rompre lorsque sa prestation se termina à la fin de la chanson – comme par magie... La jeune élève avait réussi un tour de force. Non seulement elle gagna le premier prix haut la main mais, en plus, son costume était très *sexy* tout en étant acceptable. La colère de Sarah et Charlotte augmenta d'un autre cran lorsqu'elles la virent accepter le prix – 100 $ à la boutique *Forever 21* – des mains de M. Tessier. D'un commun accord, les deux filles décidèrent d'ignorer leur amie pour le restant de la journée, et même pour la fin de semaine. Elles disparurent dans l'une des classes où l'on projetait un film, pansant leurs plaies dans le noir. Pourquoi fallait-il toujours qu'Alizée vole la vedette ?

Ce n'est que le lundi suivant que Charlotte et Sarah apprirent de la bouche d'une autre *cheerleader* comment Alizée avait réussi à se procurer le nouvel uniforme pour l'Halloween. Charlotte – fidèle à elle-même et ne voulant plus harceler Alizée à qui elle ne parlait plus de toute façon – questionna Amélie, l'une des membres du club, sur le processus de sélection de la remplaçante, qui semblait s'éterniser. Amélie resta très évasive sur le sujet, mais se montra plutôt bavarde en ce qui concernait Alizée et sa prestation du vendredi précédent. Les filles de l'équipe entière, fâchées que leur costume soit montré au public avant qu'elles-mêmes n'aient eu la chance de le voir, allèrent se plaindre le jour même à leur *coach*. Cette dernière, surprise par tant de fureur, comprit qu'Alizée lui avait menti lorsqu'elle lui avait dit que les membres de son équipe étaient d'accord pour qu'elle montre l'uniforme en primeur à toute l'école. En effet, Alizée avait réussi à convaincre son entraîneuse de lui prêter le costume, prétextant que toutes les *cheers* approuvaient son initiative. La jeune fille avait encore une fois obtenu ce qu'elle voulait grâce à son charme. De plus, comme sa mère faisait de généreux dons à l'équipe chaque année, la *coach* n'aurait pas vraiment eu de bonnes raisons de refuser la requête de sa capitaine. Consciente de la fureur des *cheers*, l'entraîneuse insista pour qu'Alizée s'excuse en bonne et due forme à son équipe, ce qu'elle fit sans se faire prier. En général, elle n'avait aucun mal à s'excuser. D'ailleurs, il était rare qu'elle ressente de la culpabilité. Ce petit mensonge avait vraiment valu la peine. Elle avait littéralement ébloui la galerie lors de son « spectacle ». Elle avait même surpris le regard flatteur que son enseignant de français avait posé sur elle, et ce, même s'il portait ce stupide masque.

Après avoir gagné le pardon des filles de son équipe, il restait tout de même une dernière chose à régler. Alizée n'en revenait pas que ses amies soient si fâchées contre elle à cause d'une petite blague. Décidément, elles n'avaient aucun sens de l'humour. Ni l'une ni l'autre ne s'était présentée à la fête d'enfer organisée par sa mère pour l'Halloween, ce qui montrait bien leur colère. Alizée devait se racheter. Après tout, Charlotte et Sarah comptaient un peu pour elle. Qui écouterait ses histoires aussi docilement si elle perdait ses deux amies ? Après plusieurs journées de silence, Alizée prit le taureau par les cornes et invita les deux filles à la rejoindre au centre commercial. Lorsqu'elle parla à Sarah au téléphone, elle perçut l'hésitation dans sa voix, mais ne la laissa pas refuser son invitation.

— Allez, viens, insista-t-elle. Et dis à Charlotte que je peux entendre sa voix, même si elle ne parle pas dans le combiné. Elle n'est pas très discrète ! Je vous attends là-bas toutes les deux dans une heure, dit-elle avant de raccrocher.

Elle savait que ses amies viendraient. Les deux filles ne sauraient résister à son charme. C'est une heure vingt plus tard qu'elle les rejoignit à leur endroit habituel. Fidèle à elle-même, même si elle venait se faire pardonner, elle arriva avec vingt minutes de retard. Les filles la boudèrent quelques minutes, mais ne firent pas mine de partir. Alizée les questionna gentiment sur leurs plans des derniers jours, mais elles répondirent du bout des lèvres. Finalement, Alizée perdit patience.

— Allez-vous en revenir, les filles ? Ce n'était qu'une petite blague. Il faut développer votre sens de l'humour…

— Ce n'était pas drôle, dit Sarah. On aurait pu se costumer nous aussi, mais on ne l'a pas fait à cause de toi.

— Et alors ? Si vous vouliez tant que ça vous déguiser, vous n'aviez pas à attendre mon approbation. Je ne suis pas votre mère. Mais je vous ai épargné de vivre une situation ridicule. Vous auriez eu l'air fin à côté des autres mousquetaires… on aurait eu droit aux cinq mousquetaires. Très original ! Déjà qu'à trois, vous vous trompiez de nombre, à cinq, vous auriez eu l'air dans le champ… De belles folles qui ne comprennent rien à l'histoire, dit-elle en croisant les bras.

Sarah et Charlotte se regardèrent. Alizée avait-elle raison ? Étaient-elles fâchées pour des enfantillages ? Leur amie leur sourit et sortit de son grand sac Michael Kors le chèque-cadeau qu'elle avait gagné.

— J'ai pensé que nous pourrions le dépenser ensemble. En fait, je vous l'offre. Si je veux quelque chose dans cette boutique, ma mère me l'achètera, c'est sûr.

La vue du chèque-cadeau fit fondre les dernières parcelles de colère chez Charlotte et Sarah. La première pensa tout de suite à la veste que sa mère refusait de lui acheter. La seconde réfléchit rapidement au contenu de sa garde-robe. Elle aurait bien besoin d'une nouvelle paire de *leggings* ou même des ballerines. Son père n'étant pas très riche, sa garde-robe était réduite au minimum. La bouche fendue d'un large sourire, Alizée prit la direction du magasin et les deux amies la suivirent. Voilà, la chicane était enfin réglée !

Les trois filles s'amusèrent bien pendant l'heure qui suivit. Elles essayèrent une tonne de vêtements, mais rien ne semblait plaire à Alizée. Elle ne le dit pas à ses amies, mais elle trouvait cette boutique très bas de gamme. Elle n'oserait jamais acheter le moindre vêtement à cet endroit. Cela faisait bien son affaire de dépenser son chèque-cadeau pour ses amies. Au moins, il était impossible qu'elles soient un jour habillées pareil puisqu'elles ne magasinaient pas dans les mêmes boutiques. Finalement, Charlotte ressortit avec une veste cernée d'un col de fourrure – qu'Alizée trouvait quétaine, bien qu'elle ait affirmé le contraire – et Sarah s'acheta quelques bijoux ainsi qu'une paire de souliers. Le chèque au complet y passa et les filles en oublièrent leur chicane, trop contentes d'avoir pu partager le cadeau. Il était évident pour elles que si elles s'étaient déguisées en mousquetaires, elles n'auraient jamais mis la main sur ce petit magot.

— Avez-vous faim, les filles ? Je paye le lunch ! annonça Alizée.

— J'avalerais un ogre, dit Charlotte.

Mais elle se rétracta en voyant le regard d'Alizée dévier vers elle. Son amie ne dit rien, mais ce coup d'œil fut éloquent. Si elle voulait faire l'équipe de *cheers*, Charlotte devait démontrer à la capitaine qu'elle faisait des efforts en ce sens. Ce qui voulait dire perdre du poids. Elle était certaine que si elle n'était pas encore admise au sein de l'équipe, c'était parce qu'elle n'y mettait pas assez du sien. Sarah avait beau lui répéter que personne ne portait attention à ce genre de détail, Charlotte, elle, savait que chacun de ses faits et gestes était dûment analysé par Alizée.

— Allez manger, les filles, dit-elle. Je vais aux toilettes et je vous rejoins plus tard.

— Veux-tu qu'on te commande quelque chose ? suggéra Sarah. Je sais que tu aimes bien le vietnamien, c'est toujours ça que tu manges d'habitude...

— Je vais voir tantôt. Je dois appeler ma mère, aussi. Ce sera peut-être long. Ne m'attendez pas.

Et elle tourna les talons.

— Tu devrais arrêter de lui faire des reproches concernant sa consommation de nourriture, sermonna Sarah alors qu'elles faisaient la file pour acheter à manger.

— Mais je n'ai rien dit, se défendit Alizée.

— J'ai bien vu ton regard. Tu sais qu'elle fait de réels efforts pour perdre du poids. Pourquoi tu ne l'acceptes pas dans l'équipe de *cheers* ?

— Ce n'est pas juste moi qui décide…

— Ça fait deux mois que tu racontes la même histoire. À ce rythme-là, vous choisirez à la fin de l'année. Si elle n'a aucune chance, autant lui dire tout de suite. Elle est en train de devenir folle et en plus elle harcèle toutes les membres de l'équipe. Tu dois en avoir entendu parler.

Effectivement, Alizée en avait eu écho. D'ailleurs, la plupart des filles étaient d'accord pour que Charlotte rejoigne leur petit groupe. Alizée désirait seulement la faire patienter un peu plus. Toute place au sein des *cheers* devait se mériter et elle trouvait que Charlotte ne la méritait pas encore.

— Tant qu'elle a son problème alimentaire, on ne l'acceptera pas dans l'équipe, conclut-elle.

— Quel problème alimentaire ?

— Tu ne savais pas ? Je pensais que vous étiez bonnes amies toutes les deux... Eh bien, je t'apprends que Charlotte profite de toute bonne occasion qui se présente pour aller se faire vomir dans les toilettes les plus proches. C'est probablement ce qu'elle est en train de faire au moment où on se parle.

— Quoi ? T'es pas sérieuse quand même ! s'exclama Sarah. Je suis souvent avec elle et j'ai jamais vu de comportement suspect. Invente pas des ragots, déjà qu'elle a peu d'estime d'elle-même.

— Moi, inventer ? Franchement, j'ai mieux à faire. Je l'ai vue, tout simplement. Ou entendue si tu préfères. Je suis pas allée lui tenir les cheveux pendant qu'elle se faisait vomir, quand même.

— J'en reviens pas. Pauvre Charlotte ! On devrait peut-être en parler à ses parents ou à la psychologue de l'école. Elle a besoin d'aide si elle est rendue à ce point. Elle est si obsédée par son poids que je pense qu'elle se pèse dix fois par jour. Dès que la balance lui annonce un gramme de plus, elle refuse d'avaler quoi que ce soit.

— Elle est faible, c'est tout. C'est dans sa nature.

— Pourquoi t'es aussi méchante avec elle ?

— Je suis pas méchante, c'est mon amie. Si une amie ne nous dit pas nos quatre vérités, qui le fera ?

Sarah ne fut pas tout à fait d'accord avec cet énoncé, mais elle était tellement sous le choc de la nouvelle qu'elle n'émit aucun commentaire. Comment pouvait-elle venir en aide à Charlotte ?

— Bon, si tu penses que le fait de l'accepter dans mon équipe va lui donner le coup de pied au derrière qu'il lui faut pour augmenter son estime d'elle-même, je suis prête à prendre le risque. De toute façon, elle est l'unique candidate.

— Ah ouin ? Mais pourquoi tu lui as fait croire l'inverse, d'abord ? Elle se ronge les ongles jusqu'au sang à force de penser qu'il y a plein d'autres filles meilleures qu'elle.

Alizée haussa les épaules comme si la situation ne la touchait guère.

— Je sais pas trop, dit-elle. Je voulais qu'elle fasse ses preuves. En tout cas, elle a montré que quand elle veut quelque chose, elle est assez insistante. Les autres filles dans l'équipe n'en peuvent plus de se faire harceler chaque jour. Mais ne lui dis pas tout de suite qu'on la prend. Je dois encore discuter un peu avec les membres du groupe.

— OK, mais tu penses lui annoncer quand ?

— Bientôt, promis. Mais n'oublie pas, si tu parles, je dirai que tu mens et qu'on n'a jamais eu l'intention de la choisir.

Sarah se demanda pourquoi c'était si grave qu'elle annonce la bonne nouvelle à son amie, mais, de peur de ruiner ses chances, elle promit à Alizée de se taire. D'ailleurs, Charlotte revenait à grands pas. Sarah la fixa, comme s'il lui était possible de deviner ses secrets les plus profondément enfouis. Se faisait-elle vraiment vomir dans les toilettes ? Quand le moment se présenterait, elle la reniflerait pour voir si elle dégageait une odeur suspecte. Charlotte ne remarqua pas son regard inhabituel, trop excitée de retrouver les deux filles.

— Vous devinerez jamais ce que je viens de voir, dit-elle. Alizée, t'en reviendras pas.

Bien que très curieuse, Alizée ne leva qu'un sourcil en signe d'interrogation, comme s'il était impossible que la nouvelle puisse l'étonner.

— J'ai vu Julie tantôt. Tsé, la fille dans mon cours de français ?

— Oui, je la connais, c'est une de mes amies Facebook. Mais depuis quand voir des filles t'excite autant? Aurais-tu une petite tendance lesbienne qui se développe vu que tu pognes pas avec les gars? demanda Alizée à la blague.

Comme toujours, Charlotte encaissa le commentaire de son amie sans riposter. Cependant, elle se referma comme une huître et refusa de révéler davantage de détails, son plaisir étant gâché. Finalement, à force d'encouragements de Sarah et d'Alizée, elle leur révéla la nouvelle qui l'avait tant excitée quelques minutes plus tôt.

— En tout cas, Julie a acheté la même paire de bottes que toi. Tu sais, tes Rudsak hyper chères...

— Celles que j'ai achetées à Boston? Impossible. Le modèle existe seulement aux États-Unis.

— Je suis sûre que c'est les mêmes. La couleur est identique et il y a la même boucle dorée sur le côté. Elle m'a dit que c'étaient des Rudsak et qu'elle les avait achetées en ligne. Tiens, regarde. Elle arrive, justement.

Charlotte fit de grands signes de la main à Julie, qui portait de très belles bottes. Alizée les analysa d'un œil de professionnelle. Elle conclut que les bottes étaient effectivement pareilles aux siennes. Elle sentit la fureur l'envahir, mais resta calme comme sa mère le lui avait appris. Il ne valait pas la peine de se fâcher en public. Mieux valait garder ça pour le privé.

— Tu regardes mes bottes, Alizée : elles sont originales, hein ? demanda Julie.

— Pas si originales, puisque tu as copié sur moi, répondit-elle d'un ton sec.

— Comment je pourrais copier sur toi ? Tu as tellement de vêtements qu'on en perd le compte. On n'aura qu'à s'appeler pour pas les porter la même journée. Bon, bye les filles !

Ne sachant pas trop comment réagir, Charlotte et Sarah préférèrent ne rien dire. Charlotte, qui n'avait toujours pas mangé, pigea dans l'assiette de son amie. C'était sa façon à elle de gérer son stress. Une fois que Julie fut sortie de leur champ de vision, la colère sembla quitter Alizée. Elle sourit, mais d'un sourire froid et calculateur. Sarah et Charlotte connaissaient ce sourire. Leur amie mijotait un plan diabolique.

3
La page Facebook

En arrivant chez elle, Alizée laissa éclater sa colère. Comme elle était seule à la maison, personne ne fut témoin de la scène. Elle se dirigea vers sa chambre, claqua la porte, ouvrit brusquement les portes de sa garde-robe, prit les bottes Rudsak, ouvrit sa fenêtre et les lança dans la cour. Les bottes atterrirent dans une flaque de boue. Plus jamais elle ne les mettrait. Pas question que les gens croient qu'elle avait copié Julie et non l'inverse. Par ailleurs, elle avait l'intention de servir une vengeance bien personnelle à cette ex-amie qui avait osé la copier. Elle s'installa à son bureau et ouvrit son MacBook Pro. Il était temps pour elle de mettre à profit ce que son beau-père lui avait appris quelques mois plus tôt.

Alors qu'ils passaient l'été à Boston et qu'ils avaient beaucoup de temps libre ensemble, Charles Manseau – informaticien de métier – avait inculqué à sa belle-fille quelques notions informatiques. Le but de la leçon était, en fait, de faire comprendre à Alizée l'importance de ne jamais employer le même mot de passe pour les différents réseaux sociaux auxquels on était abonné.

En un tournemain, il lui avait montré à quel point il était facile de pirater le profil Facebook d'une personne qui utilisait le même mot de passe un peu partout. Alizée doutait qu'une personne telle que Julie soit assez futée pour penser à changer de mot de passe d'un réseau à l'autre. Et elle avait raison. En moins de dix minutes, Alizée fut donc en mesure de se connecter au compte de la jeune fille. Personne ne pourrait soupçonner, ou plutôt confirmer, qu'elle était l'auteure de ce petit crime, puisque son beau-père lui avait aussi montré comment rester «invisible» sur le Web. Elle consulta la page de Julie pendant quelques minutes. Elle vit qu'elle avait près de trois cents amis – impressionnant, mais Alizée en avait plus encore – et que la majorité de ses amis fréquentait la même école qu'elle. *Encore mieux!* se dit Alizée. Elle fureta ensuite dans ses messages privés. *Tiens, tiens, il semble que la belle Julie craque pour Jasmin...* Comme elle avait fait le tour du profil de Julie, elle décida de lui laisser un petit message avant de se déconnecter. Elle inscrivit en lettres majuscules sur son mur: «J'AI DEMANDÉ À JASMIN DE COUCHER AVEC MOI, MAIS IL A DIT NON, MÊME S'IL SAIT QUE JE SUIS UNE SALOPE QUI COUCHE AVEC TOUT LE MONDE. J'AI INSISTÉ ET LUI AI PROPOSÉ DE LUI FAIRE UNE PIPE, MAIS IL A AUSSI REFUSÉ. À QUI LA CHANCE, ALORS?» Alizée relut son message, s'assura qu'il n'y avait pas d'erreurs de français – c'était un travail d'artiste et elle voulait bien le faire – et cliqua sur le bouton « Partager ». Ensuite, elle se déconnecta, effaça son historique et soupira de bien-être. Elle se dit que Sarah devait ressentir la même émotion lorsqu'elle complétait une œuvre. Mais le travail n'était pas terminé. Elle se reconnecta à sa propre page Facebook. Son commentaire était là, à la une de son fil d'actualité. *Un vrai chef-d'œuvre !* se félicita-t-elle. Elle cliqua sur la mention « J'aime » et partagea le statut de Julie sur sa propre page. Elle en profita aussi pour taguer Sarah et Charlotte sous le commentaire. Pour ne pas que cela ait l'air trop suspect, elle tagua aussi la moitié de l'équipe de *cheers*. Alizée espéra pour la pauvre Julie que cette dernière soit du genre très active sur Facebook. Elle se demanda combien de temps il lui faudrait pour effacer le commentaire. De toute façon, le mal était fait. Toute la soirée, Alizée rafraîchit sa page aux dix minutes environ et elle vit que son petit cadeau faisait son chemin. Plusieurs personnes commentèrent. Entre autres, les vraies amies de Julie mirent des points d'interrogation en rafale sous les propos diffamatoires. Il y eut cinquante-sept commentaires et douze partages avant que le mot incriminant finisse par disparaître du fil d'actualité. *Mission accomplie !* conclut Alizée en rabattant le couvercle de son ordinateur. Elle s'étendit sur son lit et contempla le plafond quelques minutes, assez contente de son coup. Elle entendit les pas de son beau-père dans le corridor. Intérieurement, elle le remercia d'avoir voulu la mettre en garde contre le piratage possible sur Internet.

Le lendemain, comme tous les matins, sa mère l'attendait dans la cuisine, prête pour le travail. Elles ne s'étaient pas vues depuis quelques jours, mais Nancy ne s'informa pas de l'emploi du temps de sa fille. Elle lisait le journal en buvant son jus bio. Alizée aperçut ses bottes Rudsak déposées dans le hall d'entrée. Quelqu'un les avait ramassées dans la cour et nettoyées ; la femme de ménage, sans doute. Cette dernière s'activait d'ailleurs déjà dans le grand salon.

— Y a-t-il une raison pour laquelle tes bottes à 400 $ reposaient au milieu de la cour, ce matin ? demanda Nancy, toujours derrière son journal.

— Une très bonne, chère maman. Une fille à l'école a acheté les mêmes.

Sa mère abaissa son journal aussi rapidement que si sa fille lui avait appris qu'elle était enceinte.

— Non ! Quelle copieuse ! C'est vrai que quand on a du goût comme toi et moi, il est certain que d'autres filles essaient de nous copier. Mais tu ne vas tout de même pas te résoudre à arrêter de porter tes bottes. Veux-tu que j'appelle sa mère pour lui en parler ? Si tu veux, je peux lui rembourser le coût des bottes pour que sa fille arrête de les porter. Elles te vont si bien, à toi.

— Non, maman, ne t'inquiète pas. Tout est sous contrôle. J'ai géré ça à ma façon. De toute façon, si elle porte les mêmes bottes que moi, je trouve que ce n'est plus assez exclusif. On en achètera d'autres.

— Bien sûr ! Je suis contente que tu aies géré ça comme il se doit. Une vraie petite adulte responsable.

Le regard de sa mère dévia vers l'entrée. Les bottes n'avaient toujours pas bougé.

— Mais si tu ne les portes plus, puis-je les mettre pour aller travailler ? demanda Nancy.

— Bien sûr, maman, elles sont à toi ; après tout, tu les as payées. Elles te feront sans doute aussi bien qu'à moi !

Nancy sourit à sa fille. Contente que la situation se soit réglée aussi facilement, elle reprit la lecture du journal. Charles arriva dans la cuisine, l'air préoccupé.

— C'est quoi cette histoire de bottes ? Rosalie, la femme de ménage, m'a dit qu'elle avait ramassé des souliers dans la cour ce matin. Au prix que vous payez vos chaussures, vous pourriez au moins les offrir aux plus démunis quand vous en avez terminé plutôt que les jeter directement par la fenêtre…

— Encore une fois, Charles, tu commentes la situation sans savoir réellement de quoi il retourne, commenta Nancy. Alizée avait une excellente raison de jeter ses bottes dehors, n'est-ce pas ma chouette ?

Pas trop certain qu'il existe de vraies bonnes raisons pour jeter des objets par la fenêtre, Charles préféra ne pas répliquer. De toute façon, jamais il n'aurait raison contre les deux femmes qui partageaient sa vie depuis maintenant douze ans. Il regarda Alizée, pensant qu'elle lui donnerait une explication, mais elle se contenta de lui sourire en mastiquant sa rôtie. Il préféra donc prendre son café en silence plutôt que de chercher à comprendre le cœur du problème. On n'entendait plus que les pages du journal qui tournaient au rythme de la lecture. Finalement, la mère d'Alizée donna le signal du départ. Ils laissèrent à la femme de ménage le soin de ranger la vaisselle et se dirigèrent tous les trois vers le grand garage double. Alizée remarqua que sa mère et Charles ne se regardaient pas. Son beau-père avait l'air préoccupé. Ils s'habillèrent et s'installèrent chacun dans leur véhicule, toujours sans un regard.

— Bonne journée, dit Charles.

— À ce soir, lui répondit Alizée avec un signe de la main.

Sa mère ne le salua pas, trop occupée à consulter les messages sur son cellulaire. Alizée boucla sa ceinture et attendit que Nancy démarre son bolide. Parfois, elle aurait aimé que ce soit Charles qui la reconduise à l'école. Il avait toujours des histoires drôles à lui raconter. Sa mère, elle, ne faisait que parler au téléphone ou lui donner ses recommandations d'usage sur l'alimentation et l'hydratation quotidienne. Mais ce matin-là, la discussion fut différente.

— Qu'est-ce qui se passe entre Charles et toi ? Vous vous êtes chicanés ? demanda-t-elle.

Sa mère resta silencieuse un moment avant de répondre.

— Non, il n'y a rien de grave. Il trouve juste que je dépense trop d'argent en futilités. Comme si l'argent était un problème pour nous… Quand on en a, il faut le dépenser, non ?

— C'est sûr…

— Tu sais, Charles vient d'une famille qui a toujours trimé dur pour arrondir les fins de mois. Lui-même n'est pas très dépensier. Il trouve souvent que je fais des folies. Surtout avec la fête d'une certaine jeune fille qui approche à grands pas, ajouta-t-elle avec un clin d'œil à l'intention d'Alizée.

Oh! se dit Alizée. Est-ce que sa mère lui préparait une surprise comme elle seule en avait le secret?

Elles arrivèrent à l'école avant de pouvoir en discuter davantage. Comme à l'accoutumée, Charlotte et Sarah attendaient leur amie devant l'école, même si l'air était plus frisquet en ce début du mois de novembre. Les deux filles semblaient impatientes. Elles voulaient en savoir davantage sur le fameux message qui avait circulé sur bien des comptes Facebook. Il était évident pour elles qu'Alizée en savait un bout sur le sujet. Pour une fois, Nancy ne fit pas de commentaire sur les amies de sa fille. Charlotte portait un long manteau qui cachait bien ses petits défauts. Alizée souhaita une bonne journée à sa mère et sortit du véhicule. Ce matin-là, elle décida de ne pas ignorer ses amies, trop fière de son coup de la veille. Peu de gens savaient qu'elle était aussi douée quand venait le temps de s'attaquer à l'informatique. Sarah parlait déjà quand elle arriva à sa hauteur.

— … tu as vu le message sur le mur de Julie, hier?

— Quel message? demanda-t-elle d'un ton innocent.

Mais son sourire ne laissait place à aucune ambiguïté.

— Julie n'ose même pas se présenter à l'école aujourd'hui. J'ai même entendu dire que ses parents ont appelé la directrice de l'école pour faire une plainte pour harcèlement, annonça Charlotte.

— Du harcèlement? Franchement, c'est un peu exagéré, je trouve. On est tous responsables de nos actes. Si elle s'est fait traiter de salope sur son compte Facebook, c'est qu'elle le méritait, conclut Alizée.

Charlotte et Sarah restèrent silencieuses. Elles pensaient que leur amie était responsable de la situation, mais n'avaient aucune preuve. Elles avaient peur de se retrouver mêlées à l'histoire, puisque Alizée avait partagé le commentaire sur leur mur. Heureusement, les deux amies, d'un commun accord, n'avaient pas partagé le statut à leur tour et s'étaient abstenues de cliquer sur le bouton «J'aime». La sonnerie annonçant le début du premier cours interrompit leur discussion. Les trois filles prirent la direction du vestiaire.

Beaucoup de gens chuchotaient et l'on pouvait entendre le nom de Julie ici et là. Alizée se dirigea d'un air victorieux vers son casier. Elle n'irait pas jusqu'à crier haut et fort qu'elle était responsable de cette médisance, mais l'idée que les gens croient qu'elle en était l'auteure lui plaisait bien. Elle aimait qu'on la craigne un peu : cela lui permettait de se sentir encore plus supérieure. Ses deux amies toujours silencieuses à ses côtés, elle regarda son horaire du jour. Excellent : elle commençait en français. Elle prit ses fournitures scolaires et ferma son casier. Elle jeta un regard à Charlotte et Sarah, qui restaient obstinément muettes.

— Les filles, changez d'air. Il n'y a pas eu mort d'homme à ce que je sache…

— …

— Bon, on se revoit ce midi dans ce cas.

Et elle les planta là.

Quelques minutes plus tard, Alizée prenait des notes dans son cours de français. Son enseignant, M. Tessier, tentait de leur enseigner tant bien que mal à accorder les participes passés employés avec l'auxiliaire avoir. Elle maîtrisait cette notion depuis la cinquième année et elle ne parvenait pas à croire que plusieurs élèves de son groupe ne comprenaient pas encore ce qu'était un complément direct. Il ne fallait pas la tête à Papineau tout de même ! Sa mère lui avait toujours enseigné qu'il était important de bien s'exprimer, autant à l'oral qu'à l'écrit. Alizée était donc excellente en français. C'était d'ailleurs l'une de ses matières préférées ; son bel enseignant l'aidait aussi beaucoup à aimer ce cours. Celui-ci fut interrompu dans ses explications par un bip sonore émis par l'interphone.

— Excusez-moi de vous déranger, dit la voix reconnaissable de l'éducatrice.

— Oui ? cria un peu fort M. Tessier.

— Est-ce qu'Alizée Meilleur est en classe ?

— Oui ! cria encore M. Tessier.

— Pourrait-elle se présenter au local 527, s'il vous plaît ?

— Bien sûr ! conclut-il, toujours en criant. Alizée, tu es demandée au local 527, lui annonça-t-il comme si elle était sourde.

Oh ! oh ! cela n'augurait rien de bon, que l'éducatrice la demande à son bureau. Mais elle n'avait aucune preuve contre elle. Alizée, supposant que la rencontre ne serait pas longue, laissa ses fournitures scolaires à sa place et prit la direction du local de la technicienne en travail social. L'année précédente, elle s'était souvent retrouvée au bureau de la T.T.S., car elle faisait parfois des mauvais coups ou *bitchait* ouvertement contre les autres filles. Généralement, pendant qu'elle se rendait à ce local, elle prenait le temps d'envoyer un message texte à sa mère pour la mettre au courant de la situation. Invariablement, cette dernière débarquait dans le bureau dans les vingt minutes qui suivaient, prête à défendre sa fille corps et âme. Malheureusement, ce jour-là, Alizée avait oublié son cellulaire dans son casier, trop occupée à savourer sa petite victoire. Mais peut-être avait-elle encore le temps de s'esquiver pour le récupérer? Trop tard, la T.T.S. l'avait aperçue... Elle demanderait donc la permission d'aller aux toilettes et irait chercher son appareil. Anne, la T.T.S., l'invita à s'asseoir et à patienter une minute, le temps que Mme Duguay, la directrice, les rejoigne. Cela n'augurait rien de bon.

— Est-ce que je peux aller à la salle de bain pendant que nous attendons Mme Duguay? demanda Alizée, armée de son plus beau sourire.

— Non, répondit Anne d'un ton froid. Tu as eu ta pause pour ça. Et la directrice ne devrait pas tarder.

Le ton d'Anne surprit Alizée. Généralement, elle était assez sympathique ; les élèves l'aimaient bien et venaient se confier à elle sans gêne. Alizée s'assit dans son bureau et attendit. Elle reluqua le téléphone et se demanda si elle pourrait passer un coup de fil sans se faire prendre. Impossible : la directrice venait d'entrer. À l'instar d'Anne, elle semblait de très mauvaise humeur. La technicienne laissa sa place derrière le bureau à Mme Duguay et resta debout dans l'embrasure de la porte.

— Très bien, Alizée, commença la directrice. Sais-tu pourquoi nous te rencontrons aujourd'hui ?

— Je n'en ai aucune idée, répondit celle-ci en croisant les jambes et les bras, tout en s'appuyant d'un air nonchalant sur le dossier du fauteuil dans lequel elle prenait place. Mais ça doit être très important pour que vous me fassiez venir pendant un cours de français…

Les deux femmes échangèrent un regard. La directrice continua sur sa lancée.

— Connais-tu Julie Lebeau ?

— Bien sûr, tout le monde la connaît…

— Julie pense être la victime d'un très mauvais tour sur Internet. Es-tu au courant de quelque chose ?

— Ah… vous voulez sans doute parler du message qui a été publié sur son mur. Celui dans lequel on la traitait littéralement de «salope», suggéra Alizée en faisant des guillemets avec ses doigts lors de l'emploi du mot salope.

Mieux valait rester le plus près possible de la vérité, décida-t-elle. Pourquoi nier avoir vu le message alors qu'il était d'ordre public?

— Oui, c'est bien de ce message que je parle, enchaîna Mme Duguay. Les parents de Julie nous ont appelés ce matin…

Donc, Charlotte avait raison…, pensa Alizée.

— Leur fille est dans tous ses états, continua la directrice. Il faut dire que la personne qui a publié ce message pourrait être accusée de harcèlement et cela pourrait même se retrouver entre les mains de la police.

— C'est affreux, commenta Alizée. Si une situation dans le genre m'arrivait, je ne sais pas comment je réagirais. En fait, oui je le sais. Je ferais sans doute comme cette pauvre Julie et je resterais chez moi en attendant que la direction de mon école trouve le ou la coupable. Mais je ne vois toujours pas pourquoi vous m'avez convoquée, dit-elle de sa voix mielleuse.

La directrice et Anne échangèrent un autre regard.

— Nous avons plusieurs raisons de croire – Mme Duguay hésita – que tu pourrais être à l'origine de ce message.

— Moi ? Mais pourquoi je ferais une chose semblable ? Je connais à peine Julie...

— Ses parents nous ont parlé de votre petite altercation au centre commercial, hier, dit Anne qui était restée silencieuse jusque-là. Nous te connaissons, Alizée, nous savons que ce genre de situation peut te mettre en colère, conclut-elle. Et que tu as des manières bien personnelles de répliquer...

— Me mettre en colère ? Mais vous me connaissez très mal. Je sais à peine de quoi vous parlez..., avança-t-elle d'un air innocent. Et je suis vraiment insultée que vous pensiez que je pourrais commettre un acte aussi absurde. Avez-vous pris le temps de contacter ma mère avant de m'accuser d'un crime sans l'ombre d'une preuve ? Je devrais lui téléphoner sur le champ et lui faire part de vos accusations mensongères. Vous savez aussi bien que moi qu'elle viendrait prendre ma défense et qu'elle serait très fâchée...

Elle s'était levée, de façon à intimider ses interlocutrices. Ces dernières, connaissant bien le caractère de leur élève, et bien qu'étant des adultes en ayant déjà vu d'autres, se sentirent toutes petites dans leurs chaussures. Pourquoi n'avaient-elles pas appelé la mère d'Alizée avant de se mettre dans un tel pétrin ? Encore une fois, elles se faisaient piéger par cette élève beaucoup trop intelligente et sournoise.

— Mesdames, si vous en avez terminé avec vos accusations bidon, je vais de ce pas retourner à mon cours de français. Vous devriez investir plus de temps dans la recherche du véritable coupable plutôt que d'accuser de pauvres innocentes comme moi… D'ailleurs, je n'en ai rien à faire de ce que Julie pense ou porte. Elle n'est même pas mon amie. Mais quand je la reverrai, je lui témoignerai ma sympathie et je l'aiderai même à trouver le ou la responsable de cet ignoble message, puisque vous ne semblez pas être sur la bonne piste !

Sur cette tirade enflammée, et sans attendre la permission, Alizée quitta le bureau de la technicienne, fière de sa prestation. *En voilà deux qui ne m'accuseront plus jamais de rien sans preuve irréfutable !* conclut-elle.

Alizée retourna à son cours de français comme si de rien n'était. Elle prit tout de même quelques minutes pour aller chercher son cellulaire dans son casier. Elle le glissa dans sa poche, puisque les appareils étaient interdits en salle de classe. Elle poussa même l'audace jusqu'à repasser devant le bureau de la T.T.S., toujours en conversation avec la directrice. Ces dernières la regardèrent passer, mais n'émirent aucun commentaire. Alizée ne le laissait pas paraître, mais elle avait eu un bref moment de panique dans le bureau. Comment avaient-ils pu savoir si rapidement qu'elle était coupable ? Il faudrait qu'elle soit plus prudente la prochaine fois, s'il y en avait une. Elle cogna à la porte et son enseignant la laissa entrer. Elle reprit ses exercices là où elle s'était arrêtée, mais la tête n'y était plus. Elle repensait à la conversation qu'elle avait eue avec Anne et Mme Duguay. Elle repassait leurs paroles dans sa tête et imaginait des répliques qu'elle aurait pu leur servir. Alizée avait vraiment hâte de raconter son histoire à Charlotte et Sarah.

L'heure du dîner arriva finalement. Les filles se retrouvèrent à leur table habituelle. Alizée prit la parole avant même que ses amies aient eu le temps de déballer leur lunch.

— Vous ne savez pas ce qui m'est arrivé ce matin, annonça-t-elle d'emblée.

Elle attendit un instant, question de s'assurer que Charlotte et Sarah l'écoutaient attentivement.

— Mme Duguay et Anne m'ont accusée d'avoir écrit la « fameuse phrase » sur le mur de Julie. C'est fou, hein ?

— Quoi! s'exclama Charlotte. C'est vraiment toi qui as fait le coup? Mais comment elle a su que tu étais coupable? s'écria-t-elle.

— Chut! Tais-toi donc! Tu veux vraiment que l'école au complet soit au courant, grosse conne...

Charlotte se tut. Sarah lui jeta un regard désolé. Alizée, peu concernée par les sentiments de son amie, continua son histoire.

— Ha! ha! ha! vous auriez dû entendre Mme Duguay: «Nous avons toutes les raisons de croire que tu es la coupable...», se moqua Alizée en imitant à la perfection le ton de la directrice. Elle n'avait pas l'ombre d'une preuve contre moi. Je devrais faire une plainte pour harcèlement...

Charlotte et Sarah, elles, ne semblèrent pas trouver la situation très drôle. L'une des amies de Sarah lui avait dit, dans son cours d'art, que Julie refusait de sortir de chez elle. Elle avait honte de venir à l'école affronter les autres élèves. Tout cela pour une paire de bottes. Sarah, n'en pouvant plus d'entendre Alizée se vanter de ses prouesses devant la directrice, interrompit son amie.

— Tu devrais avoir honte, Alizée. Je trouve que tu es allée trop loin cette fois-ci. Je veux que tu ailles te dénoncer. Si tu n'y vas pas, c'est moi qui irai.

— Ah oui ? Et avec quelles preuves ? Tu n'en as pas plus que la directrice, dit-elle d'un ton narquois.

— Tu me l'as dit, ce sera suffisant, conclut Sarah.

— Pfff. Tu n'oseras pas. Ce sera ta parole contre la mienne. J'aurai juste à dire que tu es jalouse de moi et que tu cherches à attirer l'attention. Tout le monde me croira.

— Je m'en fous. Les gens peuvent bien penser ce qu'ils veulent.

— Vraiment, répliqua Alizée. En es-tu certaine ? Après tout, nous avons tous nos petits secrets. Aimerais-tu ça que les tiens soient révélés sur ta page Facebook ?

L'allusion à peine voilée d'Alizée mit Sarah grandement mal à l'aise. Charlotte, elle, ne dit pas un mot. Elle écoutait l'échange entre ses deux amies, n'osant pas s'en mêler. De toute façon, elle n'était pas sûre de tout saisir. Sarah prit son lunch et repoussa sa chaise avec violence avant de quitter la cafétéria d'un pas qui trahissait sa rage. La pauvre Charlotte ne savait plus sur quel pied danser.

— Inquiète-toi pas pour elle, dit Alizée. Elle reviendra, j'en ai aucun doute.

— Mais je devrais peut-être aller lui parler ?

— Ah ! Charlotte, est-ce que je t'ai dit que notre processus de sélection pour les *cheers* est presque terminé et que tu es en tête de liste pour faire partie de mon équipe ? demanda Alizée d'une voix mielleuse.

Je parlerai à Sarah plus tard..., pensa Charlotte avant de se tourner vers Alizée pour en savoir plus sur ce rêve qui allait bientôt se concrétiser.

4
LA MAUVAISE NOUVELLE

Sarah ne revint pas ce jour-là, ni le lendemain. Charlotte tenta de la rejoindre sur son cellulaire, mais sans succès. Elle ne semblait même pas être présente à ses cours. Après quatre jours sans nouvelles, Charlotte alla directement cogner à la porte de son amie. Elle avait honte de ne pas avoir fait plus d'efforts pour consoler Sarah, mais la perspective de faire enfin partie de l'équipe de *cheers* l'avait persuadée de rester auprès d'Alizée. C'est le père de Sarah qui répondit à la porte.

— Ah, bonjour Charlotte, je suis content que tu sois là. Sarah ne file pas trop ces temps-ci.

— Bonjour, je suis désolée de ne pas être venue plus tôt. Je ne pensais pas qu'elle allait si mal, dit Charlotte qui commençait à se sentir vraiment coupable.

Stéphane, le père de Sarah, se frotta les yeux en signe de lassitude.

— Tu sais, les nouvelles ne sont pas très bonnes, annonça-t-il.

— Quelles nouvelles ?

— Ah, je croyais que Sarah t'avait mise au courant et que c'était pour ça que tu étais ici... Excuse-moi, je vais la laisser t'en parler. Elle est dans sa chambre.

— D'accord, j'y vais. Merci.

Curieuse, Charlotte prit la direction de la chambre de Sarah. Elle se demandait quelles mauvaises nouvelles son amie pouvait bien avoir reçues. Elle cogna délicatement à la porte en s'annonçant.

— Sarah, c'est moi. Puis-je entrer?

— Entre, Charlotte.

Charlotte entra dans la pièce qu'elle connaissait bien et s'installa dans son pouf habituel. La chambre était sens dessus dessous. Des vêtements, des souliers et du maquillage traînaient sur chaque surface disponible. Quelques œuvres artistiques de Sarah étaient accrochées ici et là. Il y avait aussi plusieurs photos d'elle et de Charlotte, mais aucune d'Alizée. La chambre était exiguë; Sarah n'avait qu'un lit simple. Elle se plaignait tout le temps de son lit qui était trop petit et de la décoration de sa chambre qui était affreuse, mais son père n'avait pas les moyens de lui offrir une vraie pièce d'adolescente. Elle n'avait même pas d'ordinateur. Elle devait utiliser l'appareil familial situé au rez-de-chaussée. Bref, Sarah disait souvent, plus ou moins à la blague, qu'elle était une adolescente maltraitée.

La jeune fille était en train de terminer l'une de ses peintures. Les couleurs étaient sombres et l'on y voyait des tourbillons, comme si Sarah souhaitait exprimer de la colère dans son œuvre. Charlotte resta silencieuse le temps que son amie termine son tableau et range son matériel. Finalement, Charlotte parla ; après tout, la visite était son initiative.

— Comment ça va ?

Aucune réponse de Sarah.

— Es-tu encore fâchée contre Alizée ?

— Non.

— Contre moi, alors ?

Sarah soupira et se tourna vers Charlotte.

— Non, Charlotte, je ne suis fâchée ni contre toi ni contre Alizée. J'ai des soucis beaucoup plus importants que vous deux pour l'instant.

Ce type de réplique visant à la blesser intentionnellement étant plus du genre d'Alizée, Charlotte ne se formalisa pas des propos de son amie. Elle attendit que celle-ci se confie davantage. Il fallut encore quelques minutes pour que Sarah se lance. Charlotte voyait bien que son amie était très émotive, ce qui augmenta encore plus sa curiosité.

— J'ai appris, il y a quelques jours, que ma mère souffrait d'un cancer, annonça Sarah.

— Mais c'est affreux… Quel genre de cancer ?

— Un cancer de l'ovaire.

— Oh ! c'est très grave, ça, renchérit Charlotte qui, pourtant, n'y connaissait rien en la matière.

Ce type de cancer était effectivement très grave. Sarah expliqua à Charlotte que sa mère avait été diagnostiquée récemment et que son médecin lui avait fait une hystérectomie d'urgence.

— C'est quoi une hystérectomie ? questionna Charlotte.

— C'est quand on enlève l'utérus au complet et les ovaires.

— Ah... Donc elle ne pourra plus jamais avoir d'enfant… Que c'est triste !

— Je ne pense pas que ma mère voulait encore des enfants… Je crois que ce qu'elle veut, pour l'instant, c'est guérir.

— Mais s'ils ont tout enlevé, elle est guérie, non ?

— Non. Elle devra suivre des traitements de chimiothérapie ou de radiothérapie, je n'en suis pas certaine. En ce moment, elle est toujours à l'hôpital, en convalescence. C'est là que j'étais ces derniers jours. Je lui tenais compagnie. Elle retournera bientôt chez elle, mais elle aura sans doute besoin d'aide pour sa chimio et tout. Je voudrais pouvoir l'aider, mais mon père veut pas.

— Il est bien égoïste, lui. Tu veux aider ta mère malade et il refuse. Franchement...

— C'est lui qui a ma garde exclusive. Il veut pas que je manque l'école. Et il m'a dit que c'est très difficile émotionnellement de s'occuper d'une personne malade. Il a peur pour moi, je crois. Il trouve que je suis trop jeune pour m'impliquer dans une situation pareille.

— Il a peut-être raison, dit Charlotte. Quand ma grand-mère a eu son cancer, ce n'était pas très agréable de la côtoyer. Elle avait toujours une drôle d'haleine, en plus.

L'anecdote de Charlotte lui semblant un peu étrange, Sarah ne dit rien. Elle préféra penser à sa mère, comme elle le faisait depuis plusieurs jours.

— J'espère qu'elle ne perdra pas ses cheveux, continua Charlotte. Ça fait toujours plus « malade » quand la personne doit porter un foulard ou une perruque...

Sarah n'avait pas pensé à ce détail. Elle imagina sa mère sans sa longue chevelure et frissonna à cette pensée. Au fond, son père avait peut-être raison lorsqu'il disait qu'elle était trop jeune pour prendre soin de sa mère. Elle était contente qu'il prenne cette décision pour elle : cela la déculpabilisait un peu. Mais elle soutiendrait quand même sa mère du mieux qu'elle le pourrait.

Les deux amies continuèrent à bavarder de tout et de rien, mais elles ne parlèrent ni d'Alizée ni de Julie. Elles s'en tinrent à des sujets plus neutres. Discuter de la situation avec Charlotte fit du bien à Sarah. Son amie avait toujours le mot pour la faire rire. Elle regretta de ne pas s'être confiée à elle plus tôt. Stéphane invita Charlotte à souper avec eux, mais elle refusa. Ses parents insistaient toujours pour qu'elle prenne au moins deux repas à la maison. Ils avaient remarqué que leur fille semblait moins bien s'alimenter récemment et la seule solution qu'ils avaient pour l'instant était de lui faire prendre les principaux repas de la journée en leur compagnie. Avant de partir, elle serra son amie dans ses bras et lui fit promettre de la texter si elle ressentait le besoin de parler. Devant la mine triste de Sarah, Charlotte espéra que sa mère guérirait rapidement.

Le lendemain, Sarah fut de retour à l'école. Son père lui avait dit qu'il ne servait à rien de se morfondre davantage à la maison et, comme sa mère n'était plus à l'hôpital, elle devait recommencer à aller à ses cours. Sur l'heure du dîner, avec réticence, elle prit place à sa table habituelle. Charlotte y était déjà, ainsi qu'Alizée, et plusieurs autres filles de l'équipe de *cheers*, qui jasaient avec leur capitaine. Comme d'habitude, Alizée se trouvait entourée d'un petit groupe qui adorait être en sa compagnie. Elle prit tout de même quelques minutes pour discuter avec Sarah, comme si leur chicane n'avait jamais eu lieu. Elle jeta un regard entendu à Charlotte, pour lui signifier qu'elle lui avait bien dit que Sarah reviendrait rapidement. Malgré les questions d'Alizée sur son absence, Sarah se montra peu bavarde. Supposant que le silence de son amie était lié au fait qu'il y avait foule à table, Alizée décida de renvoyer ses autres amies.

— Bon, les filles, je dois parler avec Sarah et Charlotte. Vous allez devoir vous asseoir ailleurs, dit-elle d'un ton plaisant, mais hautain.

Surprises, les filles la dévisagèrent, mais obtempérèrent. Silencieusement – elles qui jacassaient comme des pies quelques secondes plus tôt –, elles allèrent s'installer à une table un peu plus loin, mais toujours dans le champ de vision d'Alizée qui leur envoya un baiser de la main.

— Bon, Sarah. Maintenant que les autres sont plus là, tu peux me raconter ce qui t'arrive de si grave.

Sarah hésita. Voulait-elle vraiment qu'Alizée soit au courant? Elle ne s'attendait à aucune sympathie de sa part. Charlotte lui jeta un regard d'encouragement. Après tout, quel mal y avait-il à dire la vérité? Sa mère était malade et le processus de guérison serait sans doute long. Elle ne pourrait pas cacher la situation très longtemps. Elle raconta donc toute l'histoire, n'omettant aucun détail.

— Pauvre toi, dit Alizée d'un ton conciliant. Je n'aimerais pas être à ta place. Une chance que tu ne vois pas ta mère souvent. Imagine comment ce serait si en plus tu vivais avec elle!

— Justement, répondit Sarah, je voudrais vivre avec elle pour l'aider.

— T'es pas sérieuse? Vivre avec quelqu'un de malade, ça doit être affreux. On a de la misère à endurer nos parents en santé, alors imagine s'ils sont malades… Ta mère peut engager des gens pour prendre soin d'elle… des professionnels. Je suis certaine qu'elle a déjà pensé à tous ces détails. Oublie cette idée de l'aider, tu n'as pas la force de faire ça, crois-moi.

Sarah fut perplexe. Alizée avait-elle raison de penser qu'elle n'avait pas la force nécessaire pour soutenir sa mère ? Elle continuerait d'y penser en privé.

— Ne t'en fais pas ; Charlotte et moi serons là pour te soutenir, ajouta Alizée, surprenant Sarah par sa sollicitude. N'est-ce pas, Charlotte ?

— Bien sûr ! En tout temps. Tu peux compter sur nous, dit cette dernière, impressionnée, pour une fois, par la semi-gentillesse d'Alizée.

— En as-tu parlé à ton chum ? demanda Alizée. Si tu veux t'occuper de ta mère, il sera mis de côté pour un moment...

— Non, je l'ai laissé en fin de semaine.

— Hein, tu nous avais pas dit ça ! s'exclama Charlotte. Pourquoi ?

— Bof, je sais pas trop. Je le trouvais un peu ennuyant. En plus, il projetait de lâcher l'école.

— OK, ça, c'est vraiment *loser*, alors, répliqua Alizée. Qui songe à lâcher l'école à quinze ans ? On fait quoi dans la vie avec à peine un secondaire trois ? On flippe des hamburgers chez McDo. Tu as bien fait de le laisser. Il faut voir plus loin que les gars du secondaire, les filles. Pourquoi pas ceux qui fréquentent le cégep ?

— Ben là, ils sont bien trop vieux pour nous, commenta Charlotte. En plus, si aucun garçon ne s'intéresse à moi au secondaire, pourquoi un gars du cégep voudrait-il de moi ?

— Arrête, Charlotte. Tu es belle. Tu te feras un chum bientôt, j'en suis sûre, dit Sarah, contente qu'on ne parle plus de la maladie de sa mère.

Alizée resta silencieuse, chipotant dans son assiette.

— J'espère au moins rencontrer quelqu'un d'ici la Saint-Valentin. C'est plate être célibataire lors de cette fête, ajouta Charlotte.

— Tu as amplement de temps, commenta Alizée. Et avec ton nouveau statut probable de *cheerleader*, tu pogneras encore plus.

— Probable ? questionna Sarah.

— Oui, ils ont presque terminé le processus de sélection et il semble que je sois leur meilleure candidate, annonça Charlotte tout excitée.

Sarah regarda Alizée, qui détourna les yeux. Elle comprit pourquoi Charlotte ne s'était pas manifestée plus tôt chez elle. Probablement qu'Alizée lui avait dit qu'elle ferait peut-être partie l'équipe de *cheers*. Son amie, ne voulant pas manquer sa chance, n'avait sûrement pas voulu froisser Alizée en se rendant chez Sarah. Pauvre

Charlotte, toujours à se faire manipuler. Sarah préféra ne rien dire et écouta le babillage de son amie qui avait hâte de revêtir l'uniforme tant convoité. Alizée changea finalement de sujet.

— Vous ne savez pas quoi, les filles ? On a une stagiaire dans mon cours de français.

— Ah oui ! dit Charlotte, toujours optimiste. Est-ce qu'elle est gentille ?

— J'espère pour elle, parce qu'elle est vraiment affreuse...

— Ben voyons, dit Sarah, elle ne peut pas être si pire que ça !

— Je dirais que si j'avais à lui donner une note sur dix, je lui donnerais moins quatre.

— Ben là, ce n'est pas une sorcière quand même... renchérit Sarah.

— Presque, le nez croche en moins. Je crois que si elle portait un chapeau pointu et se teignait les cheveux en vert, ça ne pourrait pas la désavantager beaucoup. Non, sans blague, le contraste entre elle et M. Tessier est flagrant. Il a l'air d'un mannequin à côté d'elle.

— On va sûrement la croiser dans le corridor, dit Charlotte. Penses-tu qu'on va la reconnaître ?

— Tu n'as qu'à rechercher une fille laide avec de l'acné. Elle pourrait au moins se forcer en s'habillant un peu plus chic. Bien non, elle fait dur sans bon sens. Moi, j'aurais honte de me présenter devant un groupe d'adolescents attriquée de la sorte.

Curieuses – car selon elles, il était impossible qu'une stagiaire puisse être si mal mise –, Charlotte et Sarah suivirent Alizée jusqu'à son cours de français. Là, dans le cadre de porte, elles observèrent la fameuse stagiaire qui n'était pas aussi laide que le laissait entendre Alizée. Mais il était vrai qu'elle gagnerait à s'arranger un peu plus.

— Je vais m'ennuyer de M. Tessier, c'est certain, mais je suis sûre que je vais m'amuser quand même, ajouta Alizée, une lueur malicieuse dans les yeux.

Ce soir-là, – fait exceptionnel – Nancy était à la maison et préparait le souper. Alizée et elle papotèrent un peu pendant que la jeune fille faisait ses devoirs. Elle lui parla de la nouvelle stagiaire et décrivit en détail son allure. Sa mère rit franchement. Elle n'en revenait pas, elle non plus, qu'on puisse se présenter ainsi devant un groupe sans un minimum de travail sur soi.

— Est-ce qu'elle sera à la rencontre de parents la semaine prochaine? demanda Nancy. Je me présenterai juste pour la voir.

— Je crois bien que oui, il me semble qu'elle est obligée de suivre M. Tessier dans toutes ses activités.

— En voilà un autre que j'ai bien hâte de rencontrer, dit sa mère. Enfin, un bel enseignant. Ça change des «madames» habituelles qui n'ont pas de goût.

— Parlant de «madames», maman, j'ai appris aujourd'hui que la mère de Sarah est atteinte d'un cancer de l'ovaire.

— Ah oui? Quelle mauvaise nouvelle... Savais-tu que c'est l'une des formes de cancer les plus agressives? Peu de femmes en réchappent. Ce n'est pas très positif pour la mère de ton amie...

— Vraiment? Je ne savais pas. Il n'existe aucun remède?

— Mmm... oui, bien sûr. Comme pour tous les autres types de cancer. Le taux de réussite dépend généralement du moment où la maladie a été diagnostiquée. Si c'était assez tôt, elle a des chances de s'en sortir. Tu me connais, je fais entièrement confiance à la médecine moderne. Connais-tu le nom de son médecin ?

Alizée leva un sourcil en direction de Nancy. Pensait-elle vraiment qu'elle avait pris le temps de demander à Sarah le nom du médecin de sa mère ?

— Non, bien sûr que non, renchérit la représentante pharmaceutique. J'espère pour elle qu'elle n'a pas le Dr Bastien. Quel mauvais médecin… Un vrai charlatan ! La seule chose qu'il sache bien faire, c'est jouer au golf l'été.

— Mais il me semble que tu m'as déjà parlé de ce médecin et que tu l'aimais bien.

— En effet, c'est un bon client. Il gobe n'importe quoi. Il achète tous les nouveaux produits que je lui présente. Je crois que ce qu'il aime, en fait, c'est quand je me penche pour fouiller dans ma mallette, dit-elle avec un clin d'œil. Tu te renseigneras sur le nom du médecin. Je veux savoir si je le connais.

— Je lui demanderai. Mais tu penses que ses chances de s'en sortir sont bonnes ?

— Bof, je n'ai pas dit ça, je ne suis pas médecin… Mais pourquoi ton amie s'en fait-elle autant ? Je pensais qu'elle vivait avec son père et qu'elle ne voyait pratiquement jamais sa mère.

— C'est drôle, je lui ai dit exactement la même chose. Le point positif est que si sa mère meurt, Sarah héritera sans doute de son assurance vie. Elle pourra enfin se faire une garde-robe plus décente…

Mère et fille éclatèrent de rire. Charles entra au même moment. Il avait l'air fâché.

— Non, mais vous êtes-vous entendues, les filles ? Quel commentaire déplacé…

— Ah, Charles, banalisa Nancy, il faut savoir faire de l'humour, même dans les moments les plus tristes.

— Ce n'est pas de l'humour, c'est presque du sadisme. La pauvre fille vit un moment éprouvant et vous ne pensez qu'à l'héritage. Ça en dit long sur vos priorités dans la vie. Vous devriez avoir honte. Je suis gêné pour vous.

Nancy et Alizée restèrent silencieuses, froissées de s'être fait prendre à rigoler de la sorte. Le souper au complet se déroula dans le mutisme le plus total. Un peu plus tard dans la soirée, alors qu'elle faisait une brève recherche sur le cancer de l'ovaire, Alizée entendit sa mère et son beau-père se chicaner dans la pièce voisine. Elle mit ses écouteurs et se brancha sur son iPod. La dernière chose qu'elle souhaitait entendre, c'était bien une autre prise de bec.

Le lendemain était le jour de son exposé oral sur l'inceste dans les foyers québécois. Toute prête avec, en prime, un superbe diaporama sur le sujet, elle s'installa pour réaliser que M. Tessier s'apprêtait à quitter la classe, laissant la stagiaire en charge. Alizée l'apostropha avant qu'il ne disparaisse dans le corridor.

— Euh, monsieur Tessier?

— Oui, Alizée, répondit-il du cadre de la porte.

— Vous ne restez pas pour les exposés?

— Non, Charline s'en occupera; ça fait partie de ses objectifs de stage d'évaluer des exposés oraux. Ne t'inquiète pas, nous filmons tout et je regarderai vos prestations pour valider la note qu'elle vous donnera. Mais j'ai déjà expliqué tout ça au dernier cours…

En effet, il se pouvait bien qu'il l'ait expliqué, mais Alizée n'était pas très attentive. Elle ne pouvait s'empêcher de regarder la stagiaire et de lui faire une métamorphose dans sa tête.

— Ah oui, dit-elle, déçue. C'est vrai. Mais êtes-vous certain qu'elle soit assez qualifiée? Je ne voudrais pas être pénalisée en français à cause de son manque d'expérience, ajouta-t-elle sans tenir compte du fait que la jeune femme se trouvait juste à côté d'elle.

Cette dernière ne sembla pas s'offusquer, mais M. Tessier se renfrogna.

— C'est non négociable Alizée. Libre à toi de ne pas faire ton exposé oral, mais tu obtiendras la note zéro, dit-il un peu excédé.

— Bon, bon, on ne s'énervera pas pour ça. J'espère qu'elle est meilleure pour évaluer que pour s'habiller, murmura-t-elle.

— Qu'est-ce que tu as dit, Alizée? demanda M. Tessier, rouge comme une tomate.

Il semblait vraiment fâché. Depuis le début de l'année, il répétait sans cesse à ses élèves à quel point le respect était une valeur importante pour lui. Non seulement le respect envers les autres élèves de la classe, mais surtout celui envers les enseignants. Quand les élèves se plaignaient ouvertement des autres profs, il levait toujours la main dans un signe voulant dire: « N'en dites pas plus, je ne veux pas le savoir. »

— Je n'ai rien dit, répliqua Alizée, d'un ton mielleux. Je répétais mon exposé. Allez, Charline, il faut nous dépêcher, la cloche a déjà sonné, dit-elle à la stagiaire comme si elle s'adressait à une simple élève.

Cette dernière regarda M. Tessier qui lui fit un vague signe de la tête, signifiant qu'elle pouvait prendre le contrôle de la classe. Tous étaient déjà installés à leur bureau et attendaient la fin de l'altercation entre Alizée et leur enseignant. Ils étaient aussi attentifs que s'ils écoutaient leur émission de télé-réalité favorite. Alizée commença son exposé en ignorant ostensiblement la stagiaire. Elle regarda les élèves, mais fixa principalement la caméra. Comme toujours, elle s'était très bien préparée et ses propos furent plus que pertinents. Même Charline fut grandement impressionnée. Cette dernière n'osait l'avouer, mais Alizée l'intimidait légèrement. Heureusement que la jeune fille était douée: lui donner une note parfaite ne serait pas difficile. La barre était haute pour les élèves qui la suivraient.

— Bravo, Alizée, dit Charline. Tu as été excellente.

— Je sais, répondit Alizée d'un ton un peu hautain. Que voulez-vous, ce n'est pas donné à tous d'être bonne… ET belle !

Son allusion ne sembla pas froisser la stagiaire qui invita un autre élève à présenter son exposé. Pendant toute la durée des oraux, Alizée rigola dans le fond de la classe avec une de ses amies, imitant Charline qui hochait la tête à chacun des propos pertinents présentés par les élèves. Lorsqu'elle se retournait pour faire de gros yeux aux deux filles, ces dernières lui servaient un sourire angélique. C'était très déplaisant, mais comme elle ne les surprenait jamais sur le fait, ses interventions s'avéraient inefficaces. La cloche sonna finalement et les filles sortirent en pouffant de rire.

— La pauvre, dit Alizée tout haut, sachant fort bien que la stagiaire l'entendait, elle ne fera pas long feu dans l'enseignement si elle ne peut même pas gérer un groupe de troisième secondaire.

Et elle se tordit de rire jusqu'à la cafétéria où l'attendaient Charlotte et Sarah, en plus de quelques filles de l'équipe de *cheers*. Pendant toute l'heure du dîner, elle se vanta de ses prouesses à son petit groupe et imita – très bien – les différentes mimiques de la stagiaire. Sarah l'écouta d'une oreille, mais avala rapidement son repas et se prépara à quitter la table. Elle en avait assez d'entendre les propos d'Alizée, qui ne se gênait jamais pour rire du malheur des autres. Avant de partir, elle jeta un regard à Charlotte qui hésita entre la suivre ou rester en compagnie de ses potentielles futures amies de l'équipe de *cheers*.

— Reste donc, lui dit Sarah, je vais aller dans mon local d'art continuer à travailler sur mon projet.

— Tu es sûre? demanda Charlotte d'un ton incertain, mais soulagée à l'idée de ne pas avoir à choisir entre ses amies.

— Oui, bien sûr. Amuse-toi bien.

— D'accord, on se revoit à la pause.

Son commentaire fut enterré sous les éclats de rire. Charlotte dut avouer qu'elle aimait être entourée de ce groupe de filles si populaires. C'était vraiment ce à quoi elle aspirait depuis son entrée au secondaire. Elle aimait bien Sarah, mais cette dernière était plus du genre solitaire. La jeune artiste ne recherchait pas nécessairement la compagnie des *cheers*, qu'elle trouvait superficielles. Comme toujours, l'heure du dîner passa rapidement. La journée aussi.

Le soir, alors qu'elle rentrait chez elle, seule pour une fois – ce qui était assez rare –, le cellulaire d'Alizée sonna. Elle reconnut le numéro de sa mère. Il était exceptionnel que celle-ci l'appelle à cette heure ; ce devait être urgent.

— Salut maman.

— Alizée ? C'est toi ?

Comme si ça pouvait être quelqu'un d'autre... sa mère avait-elle eu une autre fille ?

— Oui, maman.

— Ton enseignant de français vient de m'appeler.

— Ah oui ? Est-ce qu'il voulait te parler de ma prestation exceptionnelle lors de mon exposé oral ?

— Pas vraiment, non. Il voulait plutôt me dire que tu te montrais assez désagréable avec la stagiaire et qu'il trouvait cela inacceptable.

— Ah... il a dit ça.

— Est-ce que c'est vrai ?

— Hum... oui, un peu, mais je t'en ai parlé hier, tu te souviens ?

— Heureusement que tu m'en as parlé. J'ai pu te défendre adéquatement. Mais la prochaine fois, sois donc plus discrète quand tu te moques de quelqu'un. C'est difficile pour moi de venir à ton secours lorsque tu ris ouvertement d'une personne.

— D'accord, tu as raison. Je ferai attention. Je peux savoir ce que tu lui as dit ?

— Je lui ai dit qu'il était difficile pour toi de la prendre au sérieux, puisqu'elle n'est pas regardable. C'était bien ce que tu essayais de me faire comprendre hier, n'est-ce pas ?

Ouf ! Comme toujours, sa mère avait été assez raide. Alizée espéra que M. Tessier continuerait de l'aimer malgré le fait que Nancy n'avait pas la langue dans sa poche.

— Euh, je ne l'aurais pas dit dans ces termes nécessairement, mais ça ressemble un peu à ça. Et M. Tessier t'a répondu quoi ?

— Rien au début. Ensuite, il a dit que sa stagiaire était très qualifiée et que pour être un bon enseignant, il ne fallait pas détenir un diplôme en mode et patati et patata.

Ce cher M. Tessier. Toujours à défendre la veuve et l'orphelin…, pensa Alizée.

— Bon, avec tout ça, continua Nancy, je ne peux certainement pas me présenter à la rencontre des parents jeudi prochain. Tu m'as grandement mise dans l'embarras, jeune fille.

Alizée se dit que sa mère s'était mise elle-même dans l'embarras avec son commentaire, mais elle se garda de le lui faire remarquer. Encore une fois, Nancy l'avait défendue envers et contre tout, sans prendre la peine de connaître sa version des faits.

— Ne t'inquiète pas, maman, tout va bien à l'école. Je suis sûre que mes enseignants n'ont rien de spécial à te dire. Au pire, tu prendras rendez-vous avec eux une autre fois.

— C'est bien ce que j'ai l'intention de faire. De toute façon, je travaille le jeudi soir. Ils ne pensent jamais à ceux qui travaillent le soir lorsqu'ils organisent leurs réunions… Bon, sois gentille avec ta stagiaire, d'accord ? Si elle est aussi laide que tu le dis, elle a besoin de toute la compassion du monde.

— Je vais faire un effort, promit Alizée. Je ferai mes commentaires moins forts la prochaine fois.

— Et tu prendras une photo d'elle à son insu pour me la montrer. Je suis curieuse, quand même !

— Promis, maman. Tu vas voir, c'est un vrai phénomène de foire.

Sa mère rit avant de mettre un terme à la conversation.

— Charles sera là ce soir. Il va souper avec toi. Ne lui parle pas de cette histoire, il est déjà assez à fleur de peau comme ça, ces temps-ci.

— Très bien. À demain.

— Bye, ma chouette.

Étrange, ce commentaire de sa mère sur Charles. La perspective de souper avec son beau-père ravit Alizée. Peut-être pourrait-elle le convaincre de l'amener manger dans le tout nouveau resto chic qui venait d'ouvrir en ville ? Parfois, il la laissait même prendre quelques gorgées dans son verre de vin. Elle s'assurerait d'avoir des restants à apporter dans son lunch demain. Rien de mieux qu'un petit repas gastronomique pour en mettre plein la vue à ses amies sur l'heure du dîner.

L'incident avec la stagiaire n'eut pas de conséquence sur la vie scolaire d'Alizée. Elle se fit plus discrète dans ses remarques et laissa plutôt le loisir aux autres filles de sa classe de passer des commentaires méchants. M. Tessier dut intervenir à plusieurs reprises auprès de ses élèves afin qu'elles respectent davantage Charline qui, courageusement, se présentait chaque matin pour administrer sa leçon du jour. Heureusement pour elle, son stage prit fin quelques jours après le début du mois de décembre. Alizée fut satisfaite que son enseignant reprenne les rênes de la classe et elle fit de son mieux pour retomber dans ses bonnes grâces. Elle tenta de le charmer avec son plus beau sourire et lui apporta même, à quelques reprises avant qu'il lui demande d'arrêter, un bon café du *Second Cup*. Chaque fois qu'elle s'approchait de lui, elle lui effleurait le bras d'une façon ou d'une autre. Aucun de ses autres enseignants n'avait droit au même numéro et M. Tessier n'était pas prêt à dire qu'il appréciait particulièrement ce « traitement de faveur ». Alizée, et aussi Nancy depuis qu'il l'avait rencontrée lors d'un rendez-vous privé, le mettaient drôlement mal à l'aise. Le jeune prof avait hâte aux vacances de Noël. Deux semaines de congé lui permettraient de faire le point sur la situation et de respirer un peu sans être sous l'emprise de son élève un peu trop entreprenante.

Du côté de Charlotte, toujours pas de nouvelles concrètes concernant son acceptation au sein de l'équipe de *cheers*, malgré les vagues promesses de son amie. Chaque jour, ou presque, elle questionnait Alizée sur le sujet, si bien que cette dernière, un peu fatiguée de se faire harceler, lui répondit que tant qu'elle ne perdrait pas cinq livres, on ne l'accepterait pas dans le groupe. Sarah ne fut pas d'accord avec cette proposition, si l'on pouvait appeler ça ainsi, et décida d'en discuter avec Alizée alors que Charlotte était mystérieusement partie aux toilettes.

— Pourquoi tu lui imposes ça? Tu sais bien qu'elle manque de confiance en elle.

— On est tous responsables de nos actes, répondit-elle du tac au tac. Si Charlotte manque de confiance en elle, ce n'est certainement pas de ma faute. Et je te l'ai déjà dit, je ne suis pas la seule à décider qui sera la prochaine recrue. Les filles de l'équipe sont d'accord avec moi. Elle doit perdre cinq livres sinon on ne pourra jamais la soulever à bout de bras, conclut Alizée.

— Vous n'avez qu'à lui trouver une autre position, rationalisa Sarah. Toutes les filles ne se rendent pas jusqu'en haut de la pyramide. Il faut bien quelqu'un pour soutenir tout ce beau monde. Je suis sûr que Charlotte ferait l'affaire. Elle est assez costaude.

Alizée lui servit un regard signifiant « Tais-toi, tu ne connais rien là-dedans… », que Sarah ignora ostensiblement. Elle commençait réellement à en avoir marre de cette histoire de *cheerleading* et cela transparaissait dans son attitude générale. Depuis un mois, elle avait beaucoup changé; la peine qu'elle ressentait concernant la maladie de sa mère l'avait aigrie et elle ne semblait jamais dans son assiette. Elle avait aussi perdu beaucoup de poids – au grand dam de Charlotte qui n'arrivait pas à maigrir – et elle s'énervait souvent pour un rien, comportement qui ne plaisait pas beaucoup à ses amies. Les efforts d'Alizée pour empêcher Charlotte d'atteindre l'un de ses rêves la mettaient aussi hors d'elle. D'ailleurs, Alizée commençait à être tannée de son air bête perpétuel.

— Veux-tu bien changer d'air ! Tu fais fuir les gens autour, lui dit Alizée un peu excédée.

— J'y peux rien si j'ai de la peine, se défendit Sarah. On le sait bien, tu ne connais pas ça toi, miss parfaite.

— Ben là, ta mère est pas morte quand même. Arrête de faire une face d'enterrement !

— Arrête de dire ça, tu le sais aussi bien que moi qu'elle ne va pas bien ! s'écria Sarah. Son cancer est très agressif et les médecins ne sont pas sûrs qu'ils vont pouvoir la guérir.

— De toute façon, une femme qui laisse son frère abuser de sa fille sans rien dire mérite de mourir, selon moi.

Sarah fut abasourdie par les propos d'Alizée. Cette dernière prit conscience un peu trop tard de la dureté de ses paroles. Mais Charlotte, qui avait tout entendu alors qu'elle revenait des toilettes, l'interrompit avant qu'elle ait le temps de se rétracter.

— Quoi ? Sarah, ton oncle a abusé de toi ? Mais c'est horrible !

Un silence plana à table. Sarah se leva, prit sa bouteille d'eau et en lança le contenu au visage d'Alizée avant de repousser sa chaise violemment. Le gardien de sécurité la vit et tenta de l'intercepter, mais elle le bouscula légèrement et sortit de l'école sans manteau, malgré la petite couche de neige qui recouvrait le sol. Alizée pleurnichait parce que sa mise en plis était gâchée et que son maquillage coulait. Quelques amies tentèrent de la consoler en lui prêtant miroir et mascara. Charlotte, trop éberluée par la situation, décida que l'équipe de *cheers* pouvait bien patienter. Elle tourna le dos à Alizée et prit la direction empruntée par Sarah. Elle avait une amie à consoler.

Pendant que Charlotte essayait de retrouver Sarah, Alizée se réfugia dans le bureau de la T.T.S. Le petit groupe qui l'accompagnait tenta d'expliquer à cette dernière comment Alizée avait été injustement agressée par son amie, et ce, sans aucune raison valable. Le chandail de la jeune fille était encore un peu mouillé et son mascara avait coulé. Avant de se présenter devant Anne, elle avait réfléchi à la possibilité de refaire son maquillage, mais elle préféra finalement rester telle quelle, trouvant que cela donnait plus d'effet à sa plainte. Tandis que ses amies jacassaient, elle restait silencieuse. Mais comme Anne préférait entendre la version des faits d'Alizée plutôt que les propos incohérents des *cheers*, elle les chassa poliment.

— Bon, les filles, laissez-nous donc en tête-à-tête, annonça l'intervenante.

Ces dernières parurent presque scandalisées de se faire mettre à la porte ainsi. Elles sortirent à la queue leu leu et s'empressèrent de répandre la nouvelle dans toute l'école. Alizée, toujours dans le bureau, frotta son gilet, comme si ce mouvement pouvait le faire sécher plus rapidement. N'attendant pas qu'Anne prenne la parole, elle se lança.

— Vraiment, je n'arrive pas à y croire, dit-elle. Quel comportement détestable…

— Peux-tu m'expliquer ce qui s'est passé?

— Mais vous connaissez déjà l'histoire, non?

— Je connais la version de tes amies, mais pas la tienne…

— Sarah m'a agressée en me lançant sa bouteille d'eau.

— Sans aucune raison valable ?

— Elle avait sûrement une bonne raison, mais elle ne me l'a pas expliquée en détail.

Anne croisa les bras, signe qu'elle en avait vu d'autres.

— Alizée, je connais peu Sarah, mais je ne pense pas qu'elle soit le genre de personne à agresser – pour reprendre ton terme – une autre fille sans motif raisonnable.

Alizée fit semblant d'hésiter. Elle connaissait le côté curieux de la technicienne. On n'en venait pas à faire ce métier sans aimer connaître les problèmes des autres.

— Sarah ne serait pas contente que j'en parle. Après tout, personne n'est au courant, à l'école. Je suis la seule.

— Est-ce que ton amie a des problèmes ? demanda Anne. Penses-tu qu'elle a besoin que je la rencontre ?

— Je pense vraiment que oui, mais je suis certaine qu'elle refusera. Elle est très secrète sur sa vie et ses problèmes. Surtout depuis que…

Anne était littéralement sur le qui-vive. Son intérêt était piqué. Mais Alizée refusa d'en dire plus. Elle voulait seulement attirer un peu l'attention sur Sarah. Elle trouvait que son amie devait apprendre à gérer sa colère. C'était au moins la troisième fois depuis le début de l'année qu'elle quittait la cafétéria en furie. Peut-être que quelques rencontres avec la technicienne l'aideraient ? Alizée comprenait quand même le geste de Sarah : elle-même aurait sans doute fait la même chose dans un élan de colère. N'avait-elle pas fait pire à Julie ?

— Bon, je pense tout de même que Sarah devrait avoir une petite punition, dit Alizée. Je ne méritais pas ce traitement.

— Hum ! je ne pense pas qu'une punition soit la bonne solution. Nous pourrions nous asseoir toutes les trois et discuter de la situation. Qu'en penses-tu ?

— Vous avez peut-être raison. Elle a besoin de tout le réconfort possible par les temps qui courent. Sa mère… Eh bien, elle vous en reparlera.

— Tu es bien conciliante, Alizée, conclut Anne.

— Mais toute cette histoire m'a un peu mise à l'envers, mentit-elle. Pouvez-vous appeler ma mère ? J'aimerais retourner chez moi.

Anne ne sut pas si elle devait renvoyer l'adolescente chez elle ou lui dire tout simplement qu'elle exagérait. Mais, connaissant bien sa mère, elle décida que cette dernière était la meilleure juge de la situation. Elle laissa Alizée lui téléphoner. Nancy promit d'arriver dans les plus brefs délais. Puisque les cours avaient repris, Alizée resta dans le bureau de la T.T.S. Cette dernière pianotait sur son ordinateur, mettant à jour ses dossiers. Curieuse, Alizée remarqua que le nom de Julie était apposé sur le document dont s'occupait Anne. Elle réalisa aussi qu'elle n'avait pas revu la jeune fille depuis longtemps.

— Avez-vous eu des nouvelles de Julie Lebeau et de son harceleur ? demanda-t-elle innocemment.

— Je ne peux pas en parler, répondit la femme sans quitter des yeux son écran d'ordinateur.

— Mais vous devez bien avoir trouvé le coupable après tout ce temps, non ? Aucune piste ?

Anne resta silencieuse.

— Vous savez, Sarah est très bonne en informatique. Je suis sûre qu'elle sait pirater un compte Facebook. Son père n'a pas beaucoup d'argent et je l'ai bien vue reluquer les bottes de Julie. Ça pourrait être elle, la coupable. C'est fou ce qu'on peut accomplir quand on est jaloux ou en colère...

— As-tu des preuves de ce que tu avances? demanda la technicienne en la regardant par-dessus son écran.

Pour la deuxième fois depuis qu'elle se trouvait dans le bureau, elle attisa la curiosité d'Anne. La directrice et elle n'avaient aucun suspect en vue dans l'affaire. À part Alizée, elles ne voyaient pas qui aurait pu faire le coup... Et si Sarah était la coupable? L'intervenante se promit d'en parler à sa supérieure. La pauvre Julie ne se remettait pas encore de l'incident et se terrait à la bibliothèque en dehors des heures de classe. Elle manquait plusieurs journées par semaine et suivait même une thérapie. Ses parents projetaient de la changer d'école si la situation ne se résorbait pas. Tout cela pour un commentaire sur le réseau social le plus populaire chez les jeunes! Le bip de son cellulaire avertit Alizée que sa mère était arrivée. Elle décida d'aller la rejoindre avant qu'elle ne vienne faire une scène dans l'école. Trop tard: sa mère débarqua comme un ouragan.

— Où est-elle? Où est Alizée? cria-t-elle dans le corridor, comme si sa fille avait été victime d'un accident.

— Ici, maman, répondit-elle en se plantant dans l'embrasure de la porte.

Nancy avait l'air excédée. Elle entra dans le bureau de la technicienne et tâta Alizée comme si elle avait été blessée avant de se calmer un peu.

— J'espère que la personne qui a arrosé ma fille sera punie sévèrement, dit-elle.

— Eh bien, commença Anne, nous en étions venues à la conclusion que nous devions discuter de la situation toutes les trois...

— Juste ça ? Si c'était uniquement de moi, elle serait suspendue. Ou pire encore, je lui ferais subir le même traitement. Je peux m'en occuper si vous n'avez pas le culot de le faire.

Alizée imagina sans peine sa mère lancer de l'eau au visage de Sarah en plein milieu de la cafétéria et cela la fit pouffer de rire.

— Vous voyez ? Ma fille est tellement sous le choc qu'elle rit pour rien.

Décidément, se dit Anne, *cette femme a le sens du mélodrame.*

— Calme-toi, maman. C'est Sarah qui m'a lancé l'eau.

— Sarah ? Ton amie Sarah ? Mais pourquoi ?

— Je t'en parlerai plus tard. Pour l'instant, j'aimerais aller me changer à la maison et me remettre de mes émotions.

— Bien sûr, ma chouette. Tu as raison. Excuse-moi, tu n'as pas besoin de stress supplémentaire.

Nancy prit sa fille dans ses bras et la serra. Ensuite, elle se tourna vers Anne qui fixait la scène, incrédule.

— Et vous, vous êtes bien mieux de lui donner une punition exemplaire. Ce n'est pas vrai que ma fille va se faire humilier de la sorte devant toute l'école.

L'intervenante balbutia quelques mots, mais la mère et la fille avaient déjà quitté son bureau. Alizée était assez fière de son coup. Elle avait réussi à attirer l'attention sur son amie. Une petite vengeance personnelle pour le coup de la bouteille d'eau. Et en plus, elle s'octroyait un après-midi de congé. C'était parfait !

5
Les vacances de Noël

Pour avoir agressé injustement une autre élève et bousculé le gardien de sécurité en quittant l'établissement, Sarah écopa d'une suspension interne de deux jours. Cela fit bien son affaire, car, de cette façon, elle ne croisa pas Alizée pendant plusieurs journées consécutives. Elle rencontra également la T.T.S., qui tenta de lui tirer les vers du nez concernant sa situation familiale et ses activités en dehors des cours, mais elle n'eut rien d'intéressant à lui raconter. Ni sur sa vie ni sur Julie. Elle se referma plutôt comme une huître, convaincue qu'Alizée avait raconté toute son histoire à la technicienne. Il s'écoula presque une semaine avant que Sarah ne remette les pieds à la cafétéria, avec la ferme intention de ne pas s'asseoir à la même table que celle qui l'avait trahie. Pendant cette semaine, Charlotte se montra très présente pour elle, ne la forçant pas à tout raconter, mais comme elle se trouvait maintenant dans le secret, Sarah lui dit tout, sans omettre le moindre détail. Cela permit à Charlotte de comprendre certaines allusions qui avaient été faites dans le passé et qu'elle n'avait pas saisies à ce moment-là. Elle se montra attentive et très à l'écoute. Pour la première fois depuis longtemps, Sarah se délaissa d'un lourd fardeau et elle apprécia son sentiment de liberté. Enfin, elle pouvait parler librement, et ce, sans crainte. Charlotte était une amie de confiance et Sarah savait qu'elle pourrait compter sur elle en tout temps. Toutefois, il y avait un nuage à l'horizon en la personne d'Alizée. Toujours désireuse de faire partie de l'équipe de *cheers*, Charlotte était déchirée entre ce groupe de filles et son amie, qui avait besoin de son soutien. Déjà fragile émotionnellement, la jeune élève ne savait plus trop comment gérer tout cela et marchait constamment sur des œufs, comme si le fait de prononcer le prénom d'Alizée ou de Sarah en présence de l'une ou de l'autre pouvait détruire l'équilibre déjà précaire. Une nouvelle situation fit en sorte que Charlotte put passer plus de temps en compagnie d'Alizée, sans se sentir mal. En effet, Sarah se fit un nouveau chum et elle se mit à passer beaucoup de temps en tête-à-tête avec lui. Quand arrivèrent les vacances de Noël, le conflit n'était toujours pas réglé entre Alizée et Sarah, mais comme cette dernière partageait presque tous ses moments libres entre son nouveau copain et le local d'art de l'école, elle ne vit pas l'utilité de mettre fin à leur chicane. Avant le départ pour les Fêtes, alors que Charlotte et elle prenaient un déjeuner de Noël à la cafétéria, la jeune fille fit une dernière tentative pour régler le conflit entre Sarah et Alizée.

— Tu ne vas pas commencer la nouvelle année en chicane, quand même, dit-elle en prenant quelques bouchées dans son assiette.

Instinctivement, elle tassait tout ce qui était susceptible de lui faire prendre du poids. Il ne restait donc pas grand-chose de comestible devant elle.

— Je suis très sereine avec ma décision, renchérit Sarah la bouche pleine d'œuf et de saucisse. Si elle tient tant à ce que nous soyons amies à nouveau, elle n'a qu'à s'excuser et changer. Je n'en peux plus de madame «parfaite-tout-le-monde-veut-être-comme-moi».

— Donc, tu dis que si elle change, tu seras prête à redevenir son amie?

Sarah haussa un sourcil, l'air de dire: «Impossible qu'elle change, celle-là...»

— Je sais pas, Charlotte. Je t'en veux pas de rester amie avec elle. Tu as des intérêts dans l'affaire, dit-elle en faisant des guillemets imaginaires en prononçant le mot *affaire*.

— Mais j'aimais tellement mieux quand nous étions les trois, continua Charlotte d'un ton pleurnichard.

Sarah se demanda réellement ce que Charlotte aimait quand elles formaient leur trio. Généralement, l'une d'entre elles – presque toujours Charlotte – finissait par se faire rabaisser par Alizée, ce qui jetait invariablement un froid sur le petit groupe. Mais Sarah fut sensible à la peine de son amie. Elle se donna le temps des Fêtes pour réfléchir à leur « semblant » d'amitié. Peut-être pourrait-elle se forcer jusqu'à ce que Charlotte fasse officiellement partie de l'équipe de *cheers* ? Une fois son amie occupée avec son nouveau groupe, elle pourrait s'éclipser et se trouver d'autres activités. Son nouveau chum Julien, par exemple… Ce dernier la faisait vraiment craquer. Il était beau, populaire, il jouait de la guitare et lui composait parfois des chansons, ce qu'elle trouvait très romantique. Ils se fréquentaient depuis à peine quelques semaines, mais Sarah avait déjà hâte au congé de Noël. Julien serait seul à la maison pendant que ses parents partiraient en voyage au Mexique. Peut-être pourraient-ils en profiter…

Charlotte interrompit le fil de ses pensées.

— Oh ! je vois Alizée qui approche, chuchota-t-elle d'un ton inquiet. Qu'est-ce qu'on fait ? demanda-t-elle, de plus en plus paniquée.

Sarah lui fit subtilement signe de ne pas s'en faire ; elle gérait la situation. Alizée portait deux sacs débordant de papier de soie. Sur chacun d'eux, on pouvait lire le nom Pandora. Alizée se laissa tomber sur la chaise la plus près de Sarah et poussa les cadeaux devant chacune d'elles.

— Joyeux Noël, les filles ! Que cette nouvelle année soit riche en amitié et en bonheur, dit-elle d'un ton enjoué.

Charlotte sauta dans le sac. Sarah, elle, hésita. Elle détestait se trouver devant le fait accompli et voilà qu'Alizée la poussait encore à faire un choix qui ne lui plaisait pas. En acceptant son cadeau, elle n'avait pas le choix de redevenir amie avec elle, ce qui ne l'enchantait pas particulièrement. Mais en regardant l'euphorie évidente de Charlotte qui poussait des petits cris comme si elle n'avait jamais développé un cadeau de sa vie, elle se dit que cette amie-là en valait la peine. Elle déballa donc elle aussi son cadeau en souriant et découvrit un magnifique bracelet Pandora. Charlotte reçut le même, mais à quelques différences près. Celui de Sarah était or, alors que l'autre était argenté. Chacune avait un pendentif distinctif. Pour Sarah, il s'agissait d'un minuscule pinceau représentant bien son intérêt pour les arts et la peinture et pour Charlotte, c'était une breloque en forme de pompon de *cheerleaders*. Alizée, par ailleurs, s'était procuré un bracelet identique, le sien étant en or rose. Son *charms*, comme elle appelait la breloque, n'était nul autre qu'une couronne. *Drôle de choix...*, se dit Sarah, mais il représentait bien Alizée qui aimait par-dessus tout être supérieure aux autres et les diriger à sa guise.

— Wow ! Alizée, c'est beaucoup trop ! commenta Charlotte, qui avait déjà enfilé le bracelet. Regardez comme il est beau ! dit-elle en leur montrant son poignet.

— Merci, ce n'était pas nécessaire, ajouta Sarah du bout des lèvres.

— Mais oui, c'est nécessaire, renchérit Alizée, c'est notre bracelet d'amitié. On doit le porter chaque jour fidèlement. Et chaque fois que l'occasion se présentera, on achètera un *charms* significatif qu'on ajoutera à notre collection. C'est une bonne idée, hein ?

— Oh oui ! approuva Charlotte.

Sarah ne dit rien. Le bracelet était beau, mais elle connaissait bien les produits Pandora et n'avait certainement pas les moyens de s'en procurer. Elle accepta de bonne grâce, ne voulant pas gâcher l'ambiance générale. Les trois filles profitèrent des festivités de la journée d'activités comme si aucune chicane n'avait eu lieu. Elles se quittèrent joyeusement, chacune ayant des projets différents avec sa famille pour les Fêtes.

Charlotte, comme chaque année, se rendrait chez sa tante sur la Rive-Sud de Montréal. Alizée resterait tranquillement à la maison avec Nancy et Charles, mais plusieurs gros *partys* se profilaient à l'horizon. Sarah prévoyait partager son temps entre sa mère et Julien. Son père n'avait pas pris beaucoup de congés cette année. Il était avantageux pour lui de travailler dans le temps des Fêtes, puisque la paye était plus grosse. Il savait que sa fille comprenait la situation. D'ailleurs, cette dernière ne se plaignait jamais quand il travaillait trop.

Dans la famille d'Alizée, les cadeaux étaient toujours échangés la veille de Noël, car Nancy n'aimait pas se sentir obligée de se réveiller tôt le 25 décembre pour le traditionnel échange de présents. Comme il était rare qu'elle soit en congé, elle appréciait faire la grasse matinée pendant les vacances. Le 24 au soir, le trio alla souper dans un restaurant chic et se rendit ensuite dans une soirée organisée par l'un des médecins que Nancy côtoyait régulièrement dans le cadre de son travail. Là, plusieurs professionnels de la santé se soûlaient sans vergogne, contents de ne pas être de garde en ce soir de réveillon. Vêtue de paillettes pour l'occasion, Alizée, qui faisait bien plus que ses quatorze ans, se laissa séduire par un jeune interne qui l'approvisionna en *rhum and coke* toute la soirée. Tolérant assez bien ce mélange d'alcool pour son âge, Alizée s'amusa jusqu'à ce que Charles intervienne auprès du jeune homme pour lui dire que sa fille était mineure ; cela marqua la fin de la soirée. Alizée, un peu pompette, ne fut pas mécontente de quitter la somptueuse demeure, mais Nancy, elle, n'apprécia pas de partir si tôt – même s'il était déjà minuit passé. Heureusement, une tonne de cadeaux les attendait sous le grand sapin artificiel du salon, qui brillait de mille feux. Alizée développa et développa pendant près d'une heure, accumulant vêtements, bijoux et chèques-cadeaux dans différentes boutiques réputées de la région. Sa mère avait encore dépensé sans compter. De la part de Charles, elle reçut le nouveau iPhone 6. Son iPhone 5 étant déjà désuet, elle fut très contente de la surprise. Mais la cerise sur le gâteau fut sans conteste le dernier présent venant de sa mère, qui était caché dans son bas de Noël. Généralement, sa mère y mettait des articles essentiels tels que du parfum ou des produits pour la peau, mais rien de cela ne s'y trouvait cette année. Il y avait, à la place, une enveloppe sur laquelle il était inscrit *The Ritz-Carlton New York, Central Park* et à l'intérieur de laquelle se trouvaient deux billets d'avion – en classe affaires – à destination de New York. Alizée regarda sa mère, qui contenait difficilement son excitation. En regardant la date sur les billets, Alizée comprit que Nancy l'amenait dans cette ville de rêve pour fêter son quinzième anniversaire. Finalement, la représentante pharmaceutique, trop contente de sa surprise, explosa.

— Nous partons, toutes les deux, pour un séjour de rêve à New York ! s'écria-t-elle. Du gros luxe et du magasinage pendant quatre jours ! On va s'amuser comme des petites folles ! Es-tu contente, ma grande ?

— Wow ! c'est génial ! Je ne m'y attendais pas du tout ! Toutes mes amies vont être jalouses, dit Alizée en sautant sur place tellement elle était excitée.

— Il y a de quoi, au prix que coûte ce voyage, grommela Charles.

— Charles, l'avertit sa mère, ne sois pas rabat-joie, veux-tu ? Tu gâches notre moment.

Alizée ne comprit pas ce qui dérangeait son beau-père dans ce cadeau. N'avait-il pas lui-même déjà offert un voyage à New York à Nancy quelques années plus tôt ?

— Je ne suis pas rabat-joie, je pense seulement que le voyage à New York aurait pu être son seul et unique cadeau. Il y a plusieurs personnes qui se contentent de beaucoup moins et qui sont très heureuses.

— Je te rappelle qu'il s'agit ici de son cadeau de fête et non d'un cadeau de Noël. Il faut bien faire la différence entre les deux.

— Eh bien, tu aurais pu lui faire la surprise à sa fête, dans ce cas. Ç'aurait été encore mieux.

— Et lui gâcher le plaisir d'en parler encore et encore avec ses amies ? Pas question, n'est-ce pas Alizée ?

— Maman a raison, Charles. Je suis très contente de savoir d'avance que je partirai à New York. Ça me donnera le temps de m'acheter un guide de voyage pour planifier des excursions…

Toutefois, le regard qu'échangèrent les deux femmes n'échappa pas à Charles, qui savait très bien que leur séjour se résumerait probablement à fréquenter des boutiques plus luxueuses les unes que les autres. L'informaticien décida donc d'aller se coucher, n'en pouvant plus de voir la tonne de cadeaux amoncelés dans le salon. Alizée et sa mère papotèrent gaiement du voyage à venir, spéculant sur les achats qu'elles pourraient y faire. La dernière chose qu'il entendit lorsqu'il quitta le salon fut Alizée qui disait à sa mère: «Mais tu dois me promettre que nous y retournerons pour acheter ma robe de bal dans deux ans...»

Au petit matin, alors qu'elle rangeait ses multiples cadeaux dans sa chambre, Alizée entendit sa mère et Charles se disputer. Cela devenait trop fréquent à son goût. Curieuse, elle sortit dans le corridor et colla son oreille à la porte de leur chambre afin de connaître l'objet de leur conflit.

— ... beaucoup trop gâtée pour une enfant de quatorze ans, dit la voix de Charles.

— Mais non, tu exagères, comme toujours. Et tu ne peux pas comprendre, tu n'as pas d'enfant, répliqua sa mère.

— Ah non? Et qu'est-ce que je fais selon toi depuis les douze dernières années? J'élève les enfants du voisin, peut-être?

— Tu m'as mal comprise; ce n'est pas ce que j'ai voulu dire.

— Et qu'as-tu voulu dire au juste?

— Quand on aime nos enfants, il est normal de les gâter, c'est tout.

— Au point où tu la gâtes, il faudra qu'elle entame une carrière de joueuse de hockey si elle veut être en mesure de suivre le même rythme de vie quand elle sera adulte. Et je te ferai remarquer que si nos salaires n'étaient pas combinés, tu n'aurais pas autant de liquidités à ton actif. C'est moi qui paie cette maison après tout.

— Bon, tu vas me demander un loyer, maintenant ?

— Ce n'est pas ce que je dis, mais tu devrais commencer à réfléchir un peu plus avant de dépenser autant. Combien te coûtera ce voyage ? Dix, vingt mille ? C'est de l'exagération pure et nette.

Alizée ne prit pas la peine d'écouter la réponse de sa mère. Refusant d'en entendre davantage, elle retourna à sa chambre. Tout ce luxe faisait partie de son quotidien depuis qu'elle était petite. Elle ne voyait pas pourquoi il faudrait que cela change. Elle préféra penser à des choses plus positives.

J'ai hâte d'aller à New York ! se dit-elle.

Pour l'une, les Fêtes furent une débauche de cadeaux, pour l'autre une débauche de nourriture et pour la troisième, une débauche... sexuelle.

Pendant qu'Alizée déballait une tonne de cadeaux, Charlotte dévorait une tonne de gâteaux chez sa tante Chantal. Plus tard, alors que les plus jeunes étaient couchés et que les parents prenaient un dernier verre dans le salon, la jeune fille alla discrètement se faire vomir dans les toilettes. Étendue sur la céramique froide, elle remit en question cette nouvelle habitude qu'elle avait de se « gâter » pour ensuite se « purger ». Elle savait bien que tout cela n'était pas bon pour son organisme et tout. À l'école, une fille avait fait un exposé oral sur la boulimie – car c'était bien là son problème – et elle avait failli vomir (sans mauvaise blague) lorsque celle-ci avait fait l'inventaire de tous les effets négatifs que cette condition pouvait engendrer. Elle serait peut-être mieux d'arrêter de manger plutôt que de s'empiffrer. Avant de se mettre le doigt au fond de la gorge une dernière fois, elle se promit que sa résolution pour la nouvelle année serait de tenter du mieux qu'elle le pourrait de régler son trouble alimentaire.

De son côté, Sarah passa un peu de temps en compagnie de sa mère, mais comme les frères et sœurs de celle-ci vinrent aussi la voir, Sarah préféra s'éclipser, n'étant pas très à l'aise avec ceux-ci. Elle profita donc de sa solitude pour passer de bons moments en compagnie de son amoureux. Comme les parents de ce dernier étaient en voyage, il passèrent le plus clair de leur temps chez lui, lézardant dans le spa et regardant des films. Ils firent même l'amour à plusieurs reprises. Profitant du fait que la maison était bien à eux, ils ne se gênèrent pas pour tenter l'expérience dans plusieurs pièces. Sarah était au comble de la joie. Non seulement son jeune amant était beau, mais en plus il était tendre, doux et compréhensif. Elle n'en était pas à sa première relation sexuelle, mais elle avait tellement besoin de réconfort à cause de la peine qu'elle vivait qu'elle s'abandonnait à lui sans retenue.

Le retour à la réalité, à la fin des vacances, mit fin à leur petit conte de fées. Sarah et Julien devraient désormais trouver d'autres façons de se voir, sans la présence des parents. Il était hors de question pour le père de Sarah que le chum de sa fille couche à la maison. Il en était de même pour les parents de Julien. D'ailleurs, lorsque le père de celui-ci communiqua avec Stéphane, le père de Sarah, ce dernier pensa que c'était le sujet qu'il souhaitait aborder avec lui.

— Bonjour monsieur Toupin, je suis le père de Julien, André. Sarah et Julien sortent ensemble depuis quelque temps.

— Oui, bonjour. Je vous en prie, appelez-moi Stéphane.

— Eh bien, Stéphane, ce que j'ai à vous dire est assez délicat et risque de ne pas vous plaire...

— Ah oui ? Rien de grave, j'espère…

Sarah, qui se trouvait dans la cuisine au moment dudit coup de téléphone remarqua que son père fronçait les sourcils en écoutant parler son interlocuteur. Cela n'augurait rien de bon.

— Je comprends, finit-il par dire après quelques minutes. Merci de m'avoir mis au courant… oui, vous avez bien fait… merci de l'avoir effacé. Elle est à côté de moi, je lui en parle dès maintenant. Bonne journée à vous aussi.

Sarah vit son père raccrocher. Il fixa le mur devant lui pendant une interminable minute avant de se tourner vers elle, affichant un air qu'elle ne sut pas interpréter, elle qui le connaissait pourtant si bien.

— Est-ce que tout va bien, papa ? demanda-t-elle d'une petite voix après un long moment.

— Pas vraiment, non. Je parlais au père de Julien.

— Oui, c'est ce que j'ai compris. Il y a un problème ?

Sarah sentit l'anxiété monter tranquillement en elle. Quelle sorte de mauvaise nouvelle le père de Julien pouvait-il avoir communiquée au sien ?

— Il m'a dit qu'il revenait de voyage et qu'il avait visionné les vidéos de surveillance de la maison.

Sarah déglutit. *Quelles vidéos de surveillance?* pensa-t-elle.

— Tu dois comprendre où je veux en venir avec cette histoire ?

— Est-ce qu'il a visionné toutes les bandes ? questionna Sarah d'un ton incertain.

— En effet, et il semblait assez surpris par ce qu'il a vu… mais à voir ton air, je comprends que ton cher Julien ne t'avait pas mise au courant qu'il y avait des caméras dans la maison.

— Non, il ne m'a rien dit. Je suis désolée, papa, dit-elle au bord des larmes, humiliée.

— Est-ce que… tu te protèges au moins ?

— Papa ! C'est sûr que oui ! Je prends la pilule, aussi.

— Ah oui ? Je ne savais pas. C'est vrai que tu as plus de quatorze ans. Ça ne me regarde pas...

— Maman est au courant. Elle m'a accompagnée chez le médecin cet été. Je n'ai pas envie de me retrouver avec un bébé sur les bras. Encore moins avec une maladie !

Stéphane fut surpris. Il aurait aimé que son ex le mette au courant de sa démarche. Il se promit de lui en parler. Au moins, sa fille semblait faire preuve de maturité lorsqu'elle avait des rapports sexuels. Il continua.

— Excuse-moi, c'est juste que je te trouve un peu jeune pour avoir des relations sexuelles. Tu n'as que quatorze ans. Je ne pensais pas avoir à gérer ce genre de situation avant un bon deux ans...

— Je sais. Mais je suis très mature pour mon âge. Et je l'aime vraiment, Julien. Tu comprends ? Et il m'aime aussi. J'en suis sûre. Il est spécial. Je sens que c'est lui, le bon.

— Je ne veux pas jouer les rabat-joie, mais pour un gars qui t'aime, je trouve qu'il aurait pu prendre le temps de te dire que tous vos ébats étaient filmés.

— Il ne le savait peut-être pas ?

— Il le savait très bien : il était présent le jour où les caméras ont été installées.

Sarah se sentit soudainement trahie. Pourquoi Julien avait-il fait cela ? Il lui semblait que tout allait bien entre eux. Ils s'aimaient : elle le lui avait dit à plusieurs reprises lorsqu'ils faisaient l'amour. Mais avait-il seulement répondu à ses « je t'aime » ? Elle ne s'en souvenait pas. Son père interrompit ses pensées en terminant de lui expliquer pourquoi la maison était équipée de caméras de surveillance.

— … et il m'a dit que depuis qu'ils se sont fait voler, l'an dernier, la maison entière est dotée d'un système de surveillance de pointe. Chaque pièce de la maison a sa propre caméra indépendante.

Comme si ce genre de détail technique intéressait Sarah ! Elle n'avait qu'une envie : courir se réfugier dans sa chambre et se cacher sous les couvertures jusqu'à ce que la situation « disparaisse ». Mais avant, elle devait parler à Julien… La bonne nouvelle était que son père semblait prendre l'annonce de l'événement relativement bien. Le père de son amoureux lui avait assuré qu'il avait effacé toutes les vidéos. Mais y avait-il une chance que Julien en ait conservé une copie ? À l'idée qu'il en ait une et qu'il la montre à ses amis, Sarah ressentit un étourdissement. Et si la vidéo se retrouvait sur Facebook? Ou sur YouTube? Quelle honte! La jeune fille, qui montait les escaliers en direction de sa chambre, changea d'avis et se dirigea vers l'ordinateur familial. Elle se connecta à son compte Facebook, s'attendant presque à tomber instantanément sur une vidéo d'elle, la montrant dans une position assez suggestive. Heureusement, elle ne vit rien de spécial dans son fil d'actualité. Elle s'empara du téléphone et composa le numéro de Julien. Ce dernier répondit après quelques sonneries. Il se montra très distant, lui qui avait été charmant et enjôleur pendant les semaines précédentes.

— Salut Julien, c'est moi.

— C'est qui, moi? demanda-t-il à la blague.

— Sarah.

— Je sais, je sais. Quoi de neuf, ma belle?

Sarah lui fit part de l'objet de son appel, mais il l'écouta d'une oreille distraite, parlant à ses amis alors qu'elle tentait de lui communiquer sa détresse.

— Bof, tu sais, c'est pas la première fois que mon père visionne des vidéos comme celles-ci, annonça-t-il. Tu t'en fais pour rien.

— Mais pourquoi tu ne m'as rien dit pour les caméras ? C'est le genre de détail que j'aurais aimé connaître, tu penses pas ? Et j'espère que tu as tout effacé, comme ton père l'a dit au mien.

— Ah ! il a dit ça, hein ! Eh bien, j'avoue, j'aurais dû te le dire, mais je trouvais que ça mettait un peu de piquant dans nos baises. Même si tu es une vraie cochonne. En plus, j'aime garder des petits souvenirs des filles qui couchent avec moi. Je prends ça un peu comme un trophée.

— Baise ? Souvenir ? Cochonne ? Trophée ? Julien, que se passe-t-il ? Tu m'aimes, non ? Je croyais que nous deux, ça allait bien, qu'on formait un couple.

— Ben tsé… Maintenant que mon père t'a vue en train de coucher avec moi, je suis un peu mal à l'aise de continuer à sortir avec toi. Est-ce que tu nous imagines en plein souper de famille, tous ensemble à la table ? Mon père arrêterait pas de regarder tes boules en repensant à la vidéo, j'en suis sûr ! dit-il avant d'éclater de rire. Non, nous deux, c'est fini, ajouta-t-il en redevenant sérieux. Et c'est pour le mieux, je crois. On s'est fait prendre les culottes baissées, mais on s'est bien amusés quand même, hein ?

Sarah eut l'impression que son univers était en train de chavirer. Non seulement elle avait été filmée à son insu, mais en plus, elle était trahie par le garçon dont elle venait de tomber amoureuse. Elle se mit à sangloter et raccrocha. Pourquoi les choses ne pouvaient-elles pas aller bien pour elle ?

Quelques heures plus tard, alors qu'elle était cachée sous sa douillette en espérant que tout s'effacerait et redeviendrait comme avant, un détail lui revint à l'esprit. Julien avait dit qu'il aimait conserver des souvenirs. Avait-il gardé une copie de la vidéo ? Si oui, projetait-il de la mettre en ligne ? Sarah ne pourrait survivre à une humiliation publique de la sorte. Mais que faire ? Elle ne pouvait pas appeler Julien pour lui demander d'effacer la vidéo. Il nierait sûrement détenir une copie s'il en avait gardé une. Qu'avait-elle comme option ? Si seulement elle était aussi douée qu'Alizée avec les ordinateurs, elle pourrait peut-être réussir à aller effacer l'information directement dans le portable de Julien. Ça se faisait tout le temps dans les films... Sans doute était-il possible de le faire aussi dans la vraie vie. Son amie était-elle capable d'accéder à la vidéo et de l'effacer ? Mais cela signifiait demander un service à Alizée. Qu'est-ce qui était pire ? Qu'Alizée voie la vidéo ou que la terre entière – ou plutôt toute l'école – la voie ? Sarah prit sa décision et appela immédiatement son amie. Alizée, surprise que Sarah fasse appel à elle, écouta son histoire et accepta sur-le-champ de l'aider. Elle était curieuse avant tout, mais pas totalement insensible à la situation de Sarah.

— Bouge pas, je passe te chercher avec ma mère. Apporte ton cellulaire. J'apporterai mon ordinateur.

— Euh... pourquoi ta mère vient me chercher ? On peut pas régler ça de chez moi ?

Alizée soupira, comme si elle avait affaire à une enfant pas très intelligente.

— Je t'expliquerai en chemin. On sera là dans quinze minutes.

Sarah ne comprit pas totalement la démarche, mais fit confiance à son amie. Il était certain que les capacités d'Alizée en informatique dépassaient les siennes haut la main. Comme prévu, quinze minutes plus tard, la Cadillac se stationna devant la maison. Sarah se glissa à l'arrière du luxueux véhicule qui sentait bon le cuir. Nancy se tourna vers elle et lui fit un sourire contrit.

— Ma pauvre chouette. Se faire prendre ainsi les culottes baissées... Ça paraît que tu n'as pas de mère pour t'apprendre les choses de la vie.

Sarah n'apprécia pas particulièrement le commentaire, mais préféra ne rien dire. Elle aurait amplement le temps de se fâcher une fois que la fameuse vidéo – existante ou pas – serait effacée de l'ordinateur de Julien. Elle indiqua à Nancy la route à suivre. Pendant le trajet, Alizée lui expliqua qu'elle se brancherait sur le réseau familial de Julien pour accéder à son ordinateur. Quelques minutes plus tard, la Cadillac se stationna en avant de la maison de son ex-amoureux. Toutes les fenêtres étaient illuminées. Julien était dans sa chambre; on le voyait très bien, même de l'intérieur de la voiture. Il était installé devant son ordinateur, justement.

— Excellent, dit Alizée. C'est encore mieux s'il utilise son portable. Il sera plus facile à localiser. Donne-moi ton téléphone. Tu t'es déjà connectée à son réseau WiFi, j'espère.

Connaissant Sarah, Alizée n'en avait aucun doute. Elle n'utilisait presque jamais Internet sur son téléphone quand elle n'était pas en mesure de se connecter à un réseau gratuit.

— Oui, bien sûr. Julien m'a donné le code du réseau.

— Et tu t'en souviens par cœur?

— Oui, c'est assez facile. C'est le prénom des enfants collés avec une lettre majuscule à chaque prénom: JulienFrance.

— Les gens sont vraiment idiots, marmonna Alizée. Ils prennent toujours des codes faciles à décrypter. Un peu plus et ils mettent 123456.

— Tu as raison, ma grande, dit Nancy qui ne souhaitait pas rester en retrait de la conversation. Charles me conseille toujours de faire attention lorsque je choisis un code d'accès. Et j'en ai tellement que je les oublie continuellement !

Elle rit de sa bonne blague, mais les deux jeunes filles restèrent silencieuses. Alizée était concentrée sur sa manœuvre alors que Sarah observait Julien par la fenêtre. Juste le fait de le voir là lui brisait le cœur. Elle avait envie de lui flatter les cheveux, comme elle l'avait si souvent fait dans les derniers jours. Elle secoua la tête, comme pour chasser cette image. Elle ne devait pas oublier qu'il l'avait laissé tomber comme une vieille chaussette et qu'il était peut-être en mesure de ternir sa réputation.

— Bingo ! dit Alizée. Je suis entrée sur le réseau et je viens d'identifier son ordinateur.

Pendant quelques minutes, on n'entendit que le son du clavier du MacBook sur lequel Alizée pianotait à toute allure.

— Je suis tellement fière de ma fille, lança Nancy, comme si elle assistait à sa remise de diplôme et non à une opération clandestine illégale en plein milieu d'une rue, un dimanche soir.

— Hum... toujours pas de vidéo. Mais il semble que ton Julien soit un adepte de films pornos...

— Hon ! dit Nancy. C'est vrai que les garçons ont des désirs à assouvir. Je suis certaine que tu en trouveras aussi sur l'ordinateur du paternel.

— Je m'en fiche des vidéos pornos, dit Sarah. La seule vidéo qui m'importe, c'est celle dans laquelle je joue le rôle principal.

— Un peu de patience, j'y arrive, répliqua Alizée. Je suis maintenant dans le fichier des caméras de sécurité. À quelle date exactement tu as couché avec lui ?

— Euh... ben... tous les jours ou presque depuis le début des vacances de Noël.

— T'es vraiment une salope, toi. Est-ce qu'on te le dit assez souvent ?

Nancy ne commenta pas les propos de sa fille, mais son regard en dit long sur ce qu'elle pensait de Sarah. Cette dernière était en train de se demander si c'était une bonne idée d'avoir recruté l'équipe « telle mère telle fille » pour l'aider dans sa démarche lorsque Alizée s'exclama :

— Voilà ! Je l'ai. J'ai effacé tous les fichiers de caméra des vacances de Noël. Mais je ne peux rien faire s'il a fait une copie supplémentaire. Julien n'avait pas de copie sur son propre ordinateur, mais son père en a peut-être une…

— Il a dit à mon père qu'il avait tout effacé. Je ne vois pas pourquoi il mentirait. De toute façon, s'il en garde une copie, ce sera sans doute pour son usage personnel et non pour m'humilier devant toute l'école.

— Bon bien les filles, si vous avez terminé, on y va. Je n'ai pas juste ça à faire ce soir, dit Nancy.

— Juste un instant, répondit Alizée. Je fais un dernier balayage et ensuite j'efface mes traces.

Sarah jeta un dernier regard à Julien et se promit de le rayer de sa mémoire. Ce serait difficile, mais elle y arriverait. Le trio prit finalement le chemin du retour. En débarquant de la voiture, Sarah remercia sincèrement Alizée pour son aide. Sans elle, elle aurait peut-être été humiliée publiquement.

— La prochaine fois, nous chargerons pour nos services, blagua Nancy.

Alors qu'elle se dirigeait vers sa maison, Alizée baissa sa fenêtre et lui fit un dernier commentaire.

— Sarah, il y a une chose que tu dois savoir. Si tu souhaites un jour être parfaite comme moi, tu ne dois jamais te retrouver dans une situation hors de ton contrôle. Tu dois être en mesure de tout gérer, en tout temps. Comprends-tu?

Sarah se demanda si Alizée était sérieuse, mais elle comprit rapidement que c'était le cas. Pas du tout d'accord avec ce commentaire, elle hocha tout de même la tête en signe d'approbation. Pour une fois, elle n'argumenta pas. Alizée lui avait vraiment sauvé la peau des fesses. Mais pensait-elle vraiment qu'elle était parfaite?

Le lendemain, jour officiel de retour en classe après le congé des Fêtes, c'est un peu craintive que Sarah mit les pieds à l'école. Alors qu'elle se rendait à son casier, elle eut l'impression que tout le monde la dévisageait, mais personne ne dit mot. Était-ce uniquement le fruit de son imagination? Probablement. Elle espéra ne pas croiser Julien. La première personne sur laquelle elle tomba fut Charlotte. Cette dernière n'était revenue que la veille de ses vacances familiales et elle n'était pas au courant de l'histoire entre Sarah et Julien.

Celle-ci hésita à la mettre au parfum et préféra attendre de voir si Alizée y ferait allusion à un moment ou à un autre.

— T'as rien vu de spécial sur Facebook, récemment ? demanda-t-elle d'un ton innocent.

— Non, rien de nouveau. À part quelques couples qui se forment ou qui cassent. Rien du côté des *cheers*, si c'est ce que tu souhaitais savoir.

Le fait que Charlotte ait cru que sa question la concernait rassura Sarah. Il ne semblait pas y avoir eu de fuite. Elle soupira et laissa son amie lui raconter ses vacances de Noël en détail. Elle-même resta évasive sur ses propres activités. Charlotte jacassait, mais son regard déviait toujours au-dessus de l'épaule de Sarah. Il était évident qu'elle guettait l'arrivée d'Alizée. Chaque matin, le même manège se répétait, à croire que même en ce début de nouvelle année, les choses ne changeraient pas. Charlotte était persuadée qu'un bon matin, comme ça, Alizée lui annoncerait qu'elle faisait enfin partie de son équipe. La pauvre fille attendait ce jour comme si son existence entière en dépendait. Fidèle à ses habitudes, Alizée arriva quelques minutes à peine avant la sonnerie de la première cloche. Les deux amies ne prenaient plus la peine de l'accueillir dehors, puisqu'il faisait très froid. D'ailleurs, tant qu'à se faire ignorer une fois sur deux, elles préféraient attendre qu'Alizée leur parle directement. Ce qui fut le cas ce matin-là.

— Salut les filles ! Bonne année, clama-t-elle en leur faisant une accolade. J'espère que vous avez passé de belles vacances ! Les miennes ont été fantastiques, enchaîna-t-elle sans attendre leur réponse. J'ai plein de choses à vous raconter ce midi. Mais avant tout, est-ce que vous portez le bracelet que je vous ai donné ?

Les deux filles levèrent le poignet d'un même mouvement. Elles portaient effectivement leur bracelet Pandora. Sarah avait beaucoup hésité avant de le mettre, voulant faire un peu sa rebelle, mais en même temps, Alizée lui avait sauvé la peau des fesses – presque au sens propre – et elle ne voulait pas l'insulter en ne portant pas son cadeau. Elle avait donc enfilé le bracelet qui ne cadrait pas vraiment avec son style et sa personnalité. Charlotte s'était déjà procuré quelques *charms* pendant le temps des Fêtes. La cloche sonna, ce qui ne laissa pas aux trois filles l'occasion de bavarder davantage. Elles soupirèrent et prirent chacune leurs fournitures scolaires dans leur casier. Et voilà, c'était le retour à la réalité.

À l'heure du dîner, la paranoïa de Sarah commença à s'estomper. Personne ne semblait la regarder bizarrement. Elle s'installa à sa table habituelle et entama son repas. Peu après, Alizée et Charlotte se joignirent à elle.

— Et puis, Sarah, as-tu regardé quelque chose d'intéressant sur YouTube récemment? lui demanda Alizée avec un clin d'œil.

Sarah arrêta de mastiquer. Bon, il n'avait fallu que quelques minutes avant que l'on vende la mèche. Charlotte la regarda d'un air suspicieux.

— Pourquoi tu regarderais quelque chose « d'intéressant » sur YouTube ? la questionna-t-elle.

Sarah ne répondit pas. Alizée continua.

— Allez, Sarah, tu peux tout lui raconter. C'est ton amie. Et avoue que cette histoire est à mourir de rire !

Charlotte se tourna vers son amie, attendant que celle-ci se décide à lui raconter l'histoire palpitante qu'Alizée connaissait déjà.

— Bien si tu ne le dis pas, c'est moi qui vais le raconter.

Alizée se tourna donc vers Charlotte et, sans le consentement de Sarah, entreprit de lui raconter toute l'histoire en détail, en décrivant surtout la partie où elle intervenait. À l'entendre, c'était plutôt elle l'héroïne de l'histoire, alors que Sarah faisait figure de pauvre écervelée qui se fait prendre les culottes baissées.

— J'en reviens pas, dit Charlotte. Pourquoi tu m'as rien dit ? demanda-t-elle en se tournant vers Sarah.

— Eh bien, premièrement, c'est arrivé hier, je n'ai pas encore eu le temps de me remettre de mes émotions. Et ce n'est pas le genre d'histoire dont je veux particulièrement me vanter, ajouta-t-elle en jetant un regard assassin à Alizée.

— Ah, arrête de t'en faire, banalisa cette dernière. Nous rigolons un peu, c'est tout. Pas de quoi faire un drame.

Mais Sarah ne trouvait pas la situation drôle du tout. Encore une fois, Alizée avait le plein pouvoir sur elle, et elle n'aimait pas ça.

— Pauvre toi, dit Charlotte. Tu dois être très triste. Je sais que tu aimais sincèrement Julien.

— Pour l'instant, mon seul souci est de ne pas me retrouver sur Internet. Je m'occuperai de ma peine plus tard.

— Ne t'inquiète pas, répondit Alizée. Je peux t'assurer qu'il n'existe plus aucune copie de cette vidéo…

6
Le voyage à New York

Charlotte, Sarah et Alizée travaillèrent très fort dans leurs cours en ce début de nouvelle année. Charlotte, qui éprouvait beaucoup de difficulté à l'école, dut s'investir davantage dans ses études et eut un peu moins de temps pour travailler sa perte de poids. Elle continua donc à moins s'alimenter, mais cela l'empêchait de se concentrer en classe. Ses résultats étaient de plus en plus médiocres. Heureusement pour elle, en ce début de février, Alizée arriva avec une bonne nouvelle.

— Bon, Charlotte, on a discuté, les filles et moi et on est prêtes à te prendre à l'essai dans l'équipe de *cheers*. Si ça t'intéresse toujours, bien entendu…

Charlotte trépignait littéralement sur place, même si elle tentait de paraître calme et désintéressée.

— Oh ! oui, je pense que ça m'intéresse.

Mais sa remarque ne dupa personne. Alizée l'invita à un essayage en règle du nouvel uniforme le soir même.

— Ne mange pas trop ce midi, conseilla-t-elle, sinon tu seras gonflée et aucun uniforme ne te fera. On ne peut pas se permettre de commander des habits plus grands…

Sarah leva les yeux au ciel en entendant cette remarque, mais rien ne put gâcher le plaisir de Charlotte en cette journée mémorable. Elle attendait cet instant depuis cinq mois. Enfin, son moment de gloire était arrivé ! Elle tournoya sur elle-même, les bras en croix, pendant quinze bonnes secondes. Étourdie, elle s'arrêta et bouscula un garçon qu'elle reluquait depuis quelques semaines.

— Attention ! dit celui-ci.

— Excuse-moi, je suis un peu étourdie.

— Je vois bien ça.

Il la regarda. Ensuite, son regard s'attarda sur Sarah. Il revint à Charlotte qui le regardait toujours, la bouche un peu trop ouverte.

— Je m'appelle David, dit-il à l'intention du petit groupe. Je suis nouveau ici.

— Oui, on avait remarqué, répondit Charlotte.

— Euh, non, on n'avait pas remarqué, TU avais remarqué, répliqua Alizée qui ne daigna même pas regarder David.

Sarah, pour sa part, resta silencieuse et détailla le jeune homme. Il était grand, assez costaud pour son âge. Il devait avoir environ seize ans. Il semblait plus du type «joueur de football» que «artiste dans l'âme». C'était sans doute pourquoi Charlotte l'avait remarqué. Elle aimait les gars bien bâtis. Elle redoutait de sortir avec un garçon plus mince qu'elle par peur de l'écraser si elle se retrouvait par-dessus lui, ce qui, aux yeux de Sarah, paraissait assez étrange. En analysant davantage David, Sarah remarqua qu'il avait de beaux yeux brun foncé, presque noirs, bordés de longs cils. Cela lui conférait un air mystérieux. Son regard était profond et donnait l'impression que le jeune homme sondait le fond de l'âme de la personne qu'il regardait dans les yeux. Ses cheveux étaient mi-longs et blonds. Sarah trouva immédiatement qu'il était craquant, mais préféra laisser la chance à Charlotte, qui ne s'était pas encore fait de chum cette année. Son intérêt pour David était plus que flagrant. De toute façon, elle avait assez donné en matière de relation récemment. Comme Charlotte semblait changée en statue de sel, Sarah prit sur elle de présenter les membres de son petit groupe au jeune homme. Alizée esquissa un très bref sourire lorsque son nom fut prononcé et Charlotte lui serra la main avant de se rendre compte de l'étrangeté de son geste.

— Eh bien, on se recroisera sans doute bientôt. Attention quand tu fais des tourniquettes, ma belle, dit-il à Charlotte avec un sourire complice.

Il n'en fallut pas plus pour qu'elle rougisse jusqu'aux oreilles. C'était décidément son jour de chance.

— As-tu entendu? cria-t-elle en agrippant le bras de Sarah. Il m'a appelée « ma belle ». C'est la première fois qu'un gars m'appelle comme ça!

— Chanceuse, dit Sarah. Je suis contente pour toi!

Elle aussi sautillait sur place, l'excitation de son amie étant contagieuse. Alizée claqua la porte de son casier et se retourna vers ses amies avec un air sérieux, ce qui refroidit un peu l'atmosphère.

— Bon, les filles. Mon voyage à New York s'en vient à grands pas, dit-elle, ramenant ainsi le sujet de conversation sur elle.

Ah! le fameux voyage à New York! Depuis presque un mois, il n'était question que de cet événement.

Dès le retour des vacances de Noël, Alizée, en grande pompe, leur avait annoncé ce voyage, cadeau de sa mère pour son anniversaire. Depuis ce temps, chaque jour, elle leur rebattait les oreilles avec toutes les activités qu'elle ferait lors de ce séjour. Sarah et Charlotte l'écoutèrent attentivement les deux premières semaines, mais perdirent ensuite un peu le fil, trouvant inimaginable qu'Alizée ait le temps d'accomplir tout ce qu'elle racontait en l'espace de quatre jours. Elles durent admettre cependant qu'elles crevaient de jalousie. Sarah avait toujours rêvé d'aller à New York visiter les nombreuses et populaires galeries d'art. Charlotte, de son côté, ne connaissait de cette ville que ce qu'elle avait vu dans l'émission *Sexe à New York*, et elle rêvait de marcher sur les traces de Carrie Bradshaw.

— Comme je serai à New York pour mon anniversaire, il n'est donc pas nécessaire que vous organisiez un petit quelque chose pour célébrer mes quinze ans, continua la jeune fille.

Sarah et Charlotte échangèrent un regard. Jamais elles ne penseraient à organiser une fête pour Alizée : elles auraient bien trop peur de se tromper dans le choix du thème ou des invités.

— Si vous voulez, à mon retour, on pourrait aller manger toutes les trois au restaurant et vous pourrez ainsi me donner mon cadeau !

Cette remise de cadeaux officielle pour les anniversaires de chacune embêtait toujours Charlotte et Sarah. Elles ne savaient jamais quoi acheter à leur amie, cette dernière ayant déjà tout ce qu'elle voulait. Entre elles, Sarah et Charlotte se donnaient souvent de petits cadeaux maison comme des biscuits ou un foulard tricoté (Sarah pratiquait parfois ce passe-temps, sans trop s'en vanter tout de même), mais pour Alizée, aucune idée à l'horizon. Elles n'avaient certainement pas le budget pour aller avec le cadeau idéal. C'est pourquoi le fait qu'Alizée soit à New York pour sa fête les avait un peu réjouies : elles n'auraient pas à trouver LE cadeau. Mais voilà que le plan tombait à l'eau et les deux amies devraient réfléchir à la question sérieusement, car la fête d'Alizée était imminente. L'arrivée d'une autre amie les interrompit.

— Sarah, t'as vu que le prof d'art a enfin affiché les projets de portraits qu'on a faits à l'automne ? demanda celle-ci.

— Ah ! enfin ! Il était temps, répondit Sarah. On va voir, les filles. J'ai hâte de vous montrer le résultat final.

Alizée, Charlotte et Sarah se dirigèrent vers le hall d'entrée de l'école où les projets d'art des élèves étaient généralement présentés. En effet, il y avait plusieurs grandes affiches qui n'étaient pas présentes le matin même lorsque les filles étaient entrées dans l'école. Le petit trio fit le tour du hall afin de repérer le projet de Sarah. Il fallut peu de temps à Alizée pour reconnaître les beaux yeux verts de Charlotte, qui posait pour son amie. Charlotte et Sarah s'empressèrent de la rejoindre devant le travail qui était exposé en plein centre du hall, comme pour montrer que l'artiste avait un talent extraordinaire.

— Wow, c'est vraiment beau ! s'exclama Charlotte. Tu es tellement bonne !

Alizée, silencieuse, observa le dessin pendant plusieurs minutes. Sarah attendit son commentaire.

— Vous savez, l'art, c'est très subjectif, dit-elle enfin. Personnellement, je préfère ce qui est abstrait, car ça laisse plus de place à l'interprétation.

Sarah ne fut pas certaine de saisir le sens de la remarque d'Alizée. Aimait-elle son œuvre ? Ou était-ce une façon détournée de dire qu'elle n'appréciait pas son talent ?

— Bon, les filles ! Je vous laisse à votre démarche artistique, dit Alizée. Comme je pars en voyage dans deux jours – encore ce satané voyage – je vais aller voir mes enseignants pour les avertir de mon absence.

— Tu vas leur demander de te donner des travaux, c'est ça ? demanda Charlotte.

— Des travaux ? Jamais de la vie. Pas question que je travaille en voyage. Non, je veux juste qu'ils sachent que je serai absente. De toute façon, tout ce qu'on voit en classe est bien trop facile. Je rattraperai le temps perdu en un clin d'œil. Bon, on se voit tantôt pour ton essayage, Charlotte. Bye !

Alizée quitta rapidement le hall, prenant le chemin de la salle des enseignants.

— Je ne suis pas trop certaine d'avoir saisi son commentaire sur ton œuvre, Sarah. Est-ce que c'est moi qui ne suis pas vite ou… ?

— Non, moi non plus je n'ai pas compris. On dirait bien qu'Alizée n'apprécie pas les portraits…

— Bien moi, je trouve qu'il est très beau. Tu n'aurais pas pu choisir meilleur sujet, ajouta Charlotte à la blague.

Elle serra son amie dans ses bras et les deux filles discutèrent de détails techniques jusqu'à ce que la cloche annonce le début des cours. *Une chance que Charlotte est là,* se dit Sarah en serrant une dernière fois son amie dans ses bras.

Alizée rencontra quelques enseignants et leur apprit qu'elle serait absente deux journées consécutives, en raison d'un voyage. Son enseignante d'histoire pinça les lèvres et lui dit qu'elle manquerait de la matière très importante. Elle devrait venir en récupération à son retour. Alizée lui promit qu'elle serait présente, mais elle savait très bien qu'elle ne mettrait jamais le pied dans cette classe pour une période de récupération. Ses midis étaient bien trop importants pour cela. Les autres enseignants ne semblèrent pas trop se formaliser de son absence. Quelques-uns lui donnèrent des numéros à faire dans différents manuels, tout en sachant pertinemment qu'elle ne prendrait pas le temps de faire le travail. Mais comme Alizée était une excellente élève, ils ne s'inquiétèrent pas pour sa réussite. Elle passa voir M. Tessier en dernier. Comme toujours, son enseignant de français corrigeait son interminable pile de copies dans sa classe. Alizée cogna à la porte et entra sans attendre d'y être invitée.

— Bonjour monsieur Tessier.

Surpris, il releva la tête. Il était rare que les élèves viennent le voir hors des heures de cours, mais il leur répétait fréquemment que sa porte était toujours grande ouverte pour eux, aux sens propre et figuré.

— Ah, tiens ! Bonjour Alizée. Que puis-je faire pour toi ?

Alizée s'approcha de son bureau, juste assez près pour le mettre mal à l'aise, comme elle avait l'habitude de le faire. Elle le regarda droit dans les yeux et lui sourit. Tout de suite, le rouge monta aux joues du jeune enseignant. Alizée adorait ce moment où elle prenait conscience du pouvoir qu'elle exerçait sur M. Tessier.

— Je voulais seulement vous dire que je vais manquer votre cours demain et en début de semaine prochaine.

— Ah oui? s'étonna-t-il en détournant le regard. Eh bien, nous terminerons nos exercices sur le poème. Si tu continues les pages dans ton cahier d'exercices et que tu lis les poèmes dans le manuel, tu ne devrais pas trop prendre de retard sur les autres.

M. Tessier lui indiqua les numéros de pages, mais elle ne les prit pas en note. Elle continua de le fixer jusqu'à ce qu'il arrête de parler et de tourner les pages de son cahier.

— Vous ne voulez pas savoir où je serai? demanda-t-elle, mystérieuse.

— Euh… oui…

— Ma mère m'emmène à New York pour fêter mon anniversaire. Je vais avoir quinze ans en fin de semaine. Et vous, quel âge vous avez déjà?

Son enseignant restait toujours évasif sur son âge et la majorité des filles tentaient de percer ce secret. Alizée s'était mise au défi de l'apprendre avant toutes les autres. Personnellement, elle lui donnait entre vingt-six et trente ans.

— Ah ! New York, quelle belle ville ! s'exclama-t-il. J'y suis allé quand j'avais vingt ans, mais ce n'est pas ma mère qui m'a payé le voyage, par contre. Ha ! ha ! ha !

— Ah oui ? Et ça fait combien de temps ? Vous étiez avec votre blonde ?

— Hum... ça fait quelques années. Bon, je te souhaite un bon voyage.

Il esquivait les questions trop personnelles et regrettait même d'avoir fait un commentaire sur le fait qu'il avait lui-même déjà visité la ville. M. Tessier savait pertinemment qu'Alizée tentait d'en connaître un peu plus sur sa vie privée et il avait peur de l'utilisation qu'elle pourrait faire de ces informations. Cette fille, belle et brillante – il devait l'admettre – lui faisait un peu peur. Par ailleurs, elle le mettait mal à l'aise et elle en était pleinement consciente. Qui savait de quoi elle était capable ?

Deux jours plus tard, avec Alizée partie à New York et Sarah en plein processus créatif (qui ne pouvait être interrompu), Charlotte se retrouva seule à dîner à la cafétéria. Ne se sentant pas encore assez à l'aise pour « manger » avec les filles du *cheers* sans y être invitée, elle préféra s'installer à une table, armée du roman qu'elle devait lire pour son cours de français. Son lunch devant elle, elle se dit qu'elle mangerait sûrement moins si elle était concentrée sur la lecture d'un bon livre. Mais le livre qu'elle lisait était ennuyant à mourir. Pourquoi les enseignants imposaient-ils toujours des lectures que personne n'aimait ? Ils le faisaient exprès, elle en était certaine. Charlotte jeta un œil à son lunch. Tous les matins, sa mère lui préparait un bon repas qu'elle jetait généralement presque en entier à la poubelle. Maintenant qu'elle faisait partie de l'équipe de *cheers*, plus question de se faire vomir dans les toilettes. Mais elle devait surveiller son alimentation si elle ne voulait pas prendre de poids supplémentaire. Pendant qu'elle comptait les calories qu'elle ingérerait si elle mettait de la vinaigrette sur ses quelques feuilles de laitue, elle fut interrompue par David, qui s'installa près d'elle.

— Je peux dîner avec toi ? demanda-t-il. À moins que tu n'aies déjà terminé… il ne te reste pas grand-chose à manger, on dirait.

— Non, non ! Je veux dire, oui, tu peux dîner avec moi et non, je n'ai pas fini de manger. En fait, je n'avais pas encore commencé.

— C'est tout ce que tu manges ? Pauvre toi, tu vas mourir de faim...Tu n'es pas de ces filles qui mangent une feuille de salade et s'empressent de faire croire qu'elles ont assez mangé, j'espère.

— Oh non, pas du tout. J'adore manger, admit-elle.

Mais elle passa le reste sous silence.

Il esquissa un sourire et se mit à déballer son lunch. Charlotte le regarda engloutir toute sa nourriture, envieuse. Si elle s'écoutait, elle aurait sans doute mangé la même quantité que lui, sinon plus. Elle décida de se concentrer sur le jeune homme plutôt que de penser à la bouffe. C'était une bonne façon d'oublier la faim qui la tenaillait. David et elle discutèrent un peu. En fait, il parla et elle l'écouta en hochant la tête un peu trop souvent. Elle riait à presque toutes ses répliques. Il était drôle, mais peut-être pas à ce point. Charlotte se dit que si Alizée avait été présente, elle lui aurait fait remarquer qu'elle avait l'air d'une vraie cruche. Cette pensée la ramena un peu sur terre et elle redevint plus sérieuse. Remarquant le changement d'attitude chez Charlotte, David ramassa tranquillement ses choses et repoussa sa chaise, signe qu'il s'apprêtait à partir. Ne voulant pas manquer sa chance de passer un peu plus de temps en sa compagnie, Charlotte lui proposa d'aller voir les œuvres exposées dans le hall. Elle voulait lui montrer le portrait que Sarah avait peint. Sachant très bien que la beauté de ses yeux était son meilleur atout, mais que les garçons ne les remarquaient pas systématiquement, Charlotte pensa que c'était une bonne façon pour elle de se mettre en valeur. Le jeune homme aima tout de suite son idée et il l'accompagna dans le hall. En chemin, elle jeta son lunch à la poubelle, ce que David trouva étrange. Mais il ne fit aucun commentaire. Ensemble, ils regardèrent les différentes œuvres et David prit le temps de faire des commentaires comiques pour chacune d'elles. Quand ils arrivèrent enfin devant la toile de Sarah, il s'y attarda, fixant l'image un moment avant de se tourner vers Charlotte.

— C'est tes yeux! Je les reconnais. Je les avais remarqués la première fois que je t'ai vue et que tu m'as rentré dedans.

— Tu es vraiment observateur, dit-elle.

Le cœur de Charlotte battit la chamade. Comment était-il possible qu'un beau gars comme David l'ait remarquée, elle? Ses mains devinrent moites et elle eut des papillons dans l'estomac.

Le regard du jeune homme alla encore d'elle à la toile. Il admira longtemps les détails, s'attardant aux couleurs et à la technique de Sarah.

— C'est un très beau tableau. Le choix de modèle est bon, dit-il en décochant une œillade à Charlotte.

Il resta pensif un moment. La cloche allait bientôt sonner, mais Charlotte aurait voulu que cet instant dure toujours. Allait-il lui demander de sortir avec lui ? C'était rapide, mais il lui semblait qu'un petit quelque chose s'était développé entre eux, l'espace d'un dîner. Il ne pouvait qu'être intéressé par elle. Sinon, pourquoi serait-il venu dîner avec elle ? Pourquoi l'aurait-il appelée « ma belle » ? Est-ce qu'un garçon remarque autant les yeux d'une fille qui ne l'intéresse pas ? Tous ces questionnements défilèrent rapidement dans la tête de Charlotte. C'était la première fois qu'elle craquait autant pour un gars de l'école. Finalement, il lui sourit et demanda :

— Ton amie, Sarah, est-ce qu'elle a un chum ?

Charlotte fut si stupéfaite par la question qu'elle ne sut même pas quoi répondre. Mais comme David la regardait, elle n'eut pas le choix de dire quelque chose.

— Oui ! Euh, non. Ben, je suis pas certaine. Elle change tellement souvent de chum que je perds le compte, tu comprends.

— Ah oui ? dit David. Et est-ce qu'elle sort avec des gars de l'école ?

— Des fois oui, des fois non. Mais souvent, non. Elle les trouve trop jeunes et immatures. Généralement, elle préfère les gars qui ont des voitures, aussi. Et surtout ceux qui ont de l'expérience… si tu vois ce que je veux dire…

Mais qu'est-ce qu'elle disait là ? Sarah était son amie et voilà qu'elle inventait n'importe quoi à son sujet.

— Je pense que j'ai quand même des chances avec elle, annonça David. Quand je lui ai parlé, l'autre jour, j'ai senti qu'il y avait un petit quelque chose entre nous. Elle t'en a parlé ?

— Non. Quand vous êtes-vous parlé exactement ?

Il prit un moment pour réfléchir.

— En fait, c'était hier. On a marché ensemble pour retourner à la maison et on a pas mal discuté. J'ai senti qu'un lien s'établissait entre nous. C'était *chill* !

La bitch, se dit Charlotte. *Elle marche avec le gars qui m'intéresse et elle ne m'en parle même pas.* La jeune fille savait que son amie – ou ex-amie? – était en manque d'affection depuis que sa mère était malade, mais elle n'aurait jamais pensé qu'elle pouvait lui jouer dans le dos de la sorte. Sarah savait très bien que David l'intéressait.

— Si j'étais toi, David, je ne m'intéresserais pas trop à Sarah. Tu es nouveau ici et tout le monde sait que Sarah... ben elle couche pas mal avec n'importe qui, dit-elle en baissant le ton. Elle s'est fait prendre à baiser avec son chum pendant le temps des Fêtes. Méchante niaiseuse. Ça a fait toute une histoire. Il y a eu une vidéo qui s'est promenée sur YouTube et tout... Et il y a même des rumeurs comme quoi elle aurait déjà eu une chlamydia.

David fronça les sourcils. Il n'aimait définitivement pas la tournure de la conversation. Il décida finalement que Charlotte n'était peut-être pas la meilleure personne avec qui discuter de son penchant pour Sarah. La cloche mit un terme à leur conversation. Il la salua et promit de la revoir prochainement.

Charlotte bouillait de colère, mais ressentait tout de même un grand sentiment de honte. Elle ne se reconnaissait pas dans toutes les inepties qu'elle avait débitées à David. Le fait qu'Alizée soit absente l'avait-il changée en une deuxième Alizée? Elle comprit un peu pourquoi son amie aimait tant dire des méchancetés. Ça faisait du bien.

Toujours fâchée et pleine de remords, Charlotte ne parla pas à Sarah de la fin de semaine. Le lundi, elle prétexta une pratique de *cheers* pour ne pas dîner avec elle. Elle ne vit pas non plus David. Elle ne pouvait s'empêcher d'imaginer son amie dans ses bras et cela la rendait encore plus en colère. Quand Alizée revint de New York le mercredi, – car la journée précédente, elle était beaucoup trop fatiguée pour venir à l'école – elle fut surprise que ses deux amies ne l'attendent pas comme d'habitude aux casiers. Elle avait tellement de choses à leur raconter…

Le jeudi précédent, jour du grand départ, Alizée et sa mère se rendirent tôt à l'aéroport. L'avion décolla vers huit heures: c'était l'idéal puisqu'elles souhaitaient profiter au maximum de leurs journées. Le voyage en classe affaires se déroula très bien. On leur servit du champagne, – même à Alizée – et elles déjeunèrent de croissants et d'œufs bénédictine. Arrivées à New York, elles prirent une limousine qui les conduisit au Ritz-Carlton, où leur suite les attendait déjà. Après, s'ensuivirent des visites et des séances de magasinage toutes plus extraordinaires les unes que les autres. Alizée se demanda même comment elles allaient rapporter leurs paquets dans l'avion, mais les magasins s'occupèrent d'expédier le tout à leur domicile. Pendant ce temps, Alizée prenait plein de photos et les envoyaient à ses amies afin que ces dernières participent activement à son voyage et voient toutes les belles choses que sa mère lui offrait. Sarah et Charlotte, n'en pouvant plus de recevoir ces photos, éteignirent finalement leur téléphone après quelques heures. De toute façon, chacune avait trop la tête ailleurs pour s'exclamer devant les images qu'Alizée leur transmettait. Cette dernière alla voir un spectacle de musique avec sa mère et visita aussi les principales attractions. Toujours en limousine. Bref, ce fut son plus bel anniversaire. D'ailleurs, le soir de ses quinze ans, Nancy l'amena souper dans un restaurant très chic et le pianiste de l'endroit lui composa personnellement une chanson pour souligner cet événement. Alizée fut le clou de la soirée. Plusieurs personnes s'arrêtèrent à sa table pour lui souhaiter un bon anniversaire, en anglais.

Heureusement qu'elle maîtrisait assez bien cette langue. Sa mère ne lésina sur aucune dépense, très fière de sa grande fille.

Encore sous l'emprise de son voyage extraordinaire, Alizée attendit quelques minutes aux casiers, le temps de voir si ses amies se présenteraient, mais toujours personne. Dommage: elle leur avait acheté des petits cadeaux à New York. Elle se résigna en se disant que, de toute façon, elle n'aurait pas le temps de tout raconter en quelques minutes. L'heure du dîner ferait amplement l'affaire. Alors qu'elle se dirigeait vers son cours, elle croisa plusieurs personnes qui lui demandèrent si elle avait fait un beau voyage et qui commentèrent même les photos qu'elle avait mises sur sa page Facebook. Toutes les filles semblaient jalouses d'elle, ce qui lui fit très plaisir. Elle aimait être différente et enviée des autres.

À l'heure du dîner, un petit groupe de filles se rassembla à sa table, voulant entendre son récit de voyage. Aucune d'elle n'avait visité une ville semblable. Alizée n'attendit pas que ses meilleures amies arrivent pour raconter son voyage en détail.

— Je vous le dis, les filles, New York est une ville extraordinaire. On a mangé dans des restos chers, ma mère m'a emmenée dans les plus belles boutiques de la ville, on s'est déplacées en limousine tout le temps. C'était génial ! Un rêve ! J'ai même rencontré une vedette de télévision.

— Ah oui ? Qui ? demanda l'une des filles.

— Jimmy Fallon. Il était au même resto que moi un soir. Il s'est même arrêté pour me souhaiter un bon anniversaire.

Ici, elle amplifiait un peu son récit, mais qui le saurait ?

— Et tu n'as pas pris de photo avec lui ? demanda une autre.

— Non, il déteste se faire prendre en photo… je crois qu'il trouvait ma mère de son goût, ajouta Alizée en faisant un clin d'œil aux filles.

Et pendant la demi-heure suivante, elle continua de raconter son voyage avec mille et un détails.

— As-tu vu beaucoup de beaux gars ?

Alizée prit un air mystérieux et baissa le ton de sa voix, forçant ses amies à se pencher sur la table pour entendre ce qu'elle voulait dire.

— Vous ne le croirez pas, dit-elle tout bas, mais un photographe m'a remarquée là-bas. Il veut que j'y retourne pendant la semaine de relâche pour faire un *photoshoot*. Il pense que j'aurais du potentiel comme mannequin. Ma mère a longuement discuté avec lui et elle est d'accord pour qu'on y retourne.

Toutes les filles à la table s'exclamèrent, excitées – et un peu jalouses – à l'idée que leur amie puisse devenir mannequin. Bien sûr, cette partie de l'histoire était purement fictive, mais Alizée avait le goût de s'amuser un peu, surtout depuis que Jasmine leur avait glissé, dans la conversation, que ses parents l'emmenaient à Bali pour la semaine de relâche. Bali était certainement plus exotique que New York. Il faudrait qu'elle le propose à sa mère comme prochaine destination touristique. Laissant ses amies commenter allégrement son futur statut de mannequin, elle parcourut la cafétéria des yeux et aperçut Charlotte assise seule à une table. Elle se demanda pourquoi cette dernière ne les avait pas rejointes, mais elle remarqua ensuite son air triste. Elle se leva et dit à ses amies, avant de quitter la table :

— Je vous laisse, les filles. Demain, je vous parlerai du bel Américain que j'ai rencontré dans un concert !

Sous un tonnerre de « Ah ! chanceuse ! » elle se dirigea vers Charlotte qui dévisageait sa salade comme s'il s'agissait de sa pire ennemie.

— Salut, dit Alizée. Pourquoi tu n'es pas venue nous rejoindre à la table au lieu de rester seule comme une belle épaisse ?

— Je n'avais pas le goût de voir les filles.

— Ah bon. Où est Sarah ?

— M'en fous.

Oh ! Alizée comprit que quelque chose s'était passé durant son absence. Elle encouragea son amie à se confier. Cela ne fut pas difficile, tant Charlotte en avait gros sur le cœur. La jeune fille lui confia tout, même ce qu'elle avait dit aux dépens de Sarah.

— Je te l'avais dit que cette fille était une vraie salope, commenta Alizée. Elle dit être ton amie, mais dès que tu as le dos tourné… Bang ! Elle te plante un couteau dans le dos. Méchante *bitch*. Tu as bien fait de m'en parler. Je suis sûre qu'elle a déjà couché avec lui en plus…

Cette allusion blessa Charlotte encore plus. Elle imagina sans peine son amie dans les bras de David. Mais pour elle, l'amitié était encore plus forte que tout.

— Mais Sarah est mon amie, continua Charlotte. Je l'ignore depuis quatre jours et elle ne sait même pas pourquoi. Je me sens hyper mal d'avoir dit toutes ces choses à son sujet. Penses-tu que je devrais aller lui en parler ?

— Je peux m'en occuper, si tu veux. Au moins, si elle ment, je le saurai. Toi, tu es facilement manipulable, ma belle Charlotte. Tu ne saurais pas reconnaître un menteur, même avec un détecteur conçu pour ça.

Alizée a sûrement raison, pensa Charlotte. *Et c'est très gentil de sa part de proposer de parler à Sarah.*

Soulagée, elle accepta donc la proposition de son amie et celle-ci partit immédiatement à la recherche de la fautive. Sarah fut facile à trouver ; elle se terrait dans le local d'art, occupée par un projet qui la faisait vibrer. Elle fut surprise de voir Alizée, car il était rare que cette dernière la cherche dans l'école. Généralement, les gens venaient à Alizée et non l'inverse.

— Qu'est-ce que tu fais ? demanda Alizée de but en blanc.

— Un projet d'art, répondit-elle, restant très vague sur son objectif.

— T'as remarqué que Charlotte te boudait ? C'est vraiment bébé comme comportement, tu ne penses pas ?

— Ah ! Je trouvais ça bizarre aussi qu'elle ne me parle plus depuis quelques jours. Je n'ai pas eu le temps d'en discuter avec elle. Il faut dire que j'ai été très prise récemment.

Ce que Sarah ne confia pas à Alizée, c'est que l'état de sa mère ne s'améliorait pas malgré les traitements. Cette dernière avait terriblement maigri et venait d'être hospitalisée d'urgence. La jeune fille avait passé beaucoup de temps à l'hôpital récemment, ce qui expliquait qu'elle n'avait pas analysé pourquoi, soudainement, son amie ne lui parlait plus.

— Tu as été prise par David, peut-être ?

— David ? Je ne vois pas ce qu'il a à faire là-dedans, répondit Sarah les sourcils froncés.

— Ce n'est pas ton nouvel amoureux ? Il semble que vous soyez devenus très proches tous les deux récemment… La pauvre Charlotte est toute à l'envers. Tu aurais au moins pu l'avertir que David t'intéressait… C'est très égoïste de ta part.

— Quoi ? Mais je ne sors pas avec lui ! On s'est à peine parlé. Et je sais très bien que Charlotte a un œil sur lui. De quoi tu parles, au juste ?

— On vous a vus revenir ensemble de l'école, l'autre jour…

Le « on » ne la concernait nullement, puisqu'elle ne les avait même pas vus, mais Alizée préféra s'inclure dans la conversation. Question de participer activement à l'histoire.

— Ah ! je sais à quoi tu fais référence, maintenant, dit Sarah. L'autre jour, on a marché quelques minutes ensemble après le cours, c'est tout. On a discuté de – elle hésita – la maladie de ma mère. Son père est mort d'un cancer il y a quelque temps, d'où son changement d'école. Il m'a expliqué comment il vivait son deuil et tout. C'est un garçon très sensible, parfait pour Charlotte, je crois. Mais il n'a jamais été question qu'on sorte ensemble. Il ne m'intéresse même pas ! On dirait que Charlotte a compris tout croche.

— Et ça te surprend que Charlotte n'ait rien compris ? Moi, ça ne m'étonne pas.

Sarah soupira en entendant le commentaire d'Alizée et essuya son pinceau.

— Je vais aller la voir, justement. Il faut mettre les choses au clair, dit-elle.

— Ah oui, tu fais bien, parce qu'elle a dit à David que tu couchais à gauche et à droite. C'est peut-être pour ça qu'il s'intéresse à toi, d'ailleurs.

Ce qu'Alizée lui annonça lui fit l'effet d'une gifle en plein visage. Charlotte avait-elle réellement dit ça à son sujet ? C'est comme ça qu'elle la percevait, comme une fille qui couche avec tout le monde ? C'en était trop. Sarah se laissa tomber sur un tabouret et se mit à pleurer. Avec toute la pression qu'elle subissait à cause de la maladie de sa mère, la trahison d'une amie était plus qu'elle ne pouvait en supporter. Elle sanglota ainsi pendant de longues minutes et Alizée la consola.

— T'en fais pas, disait-elle, elle est jalouse parce qu'elle n'a jamais eu de chum et que toi tu es populaire. En plus, elle est grosse et elle ne pourra jamais être mince comme toi.

Est-ce que ces paroles devaient la réconforter ? Sarah n'en était pas sûre.

— Veux-tu qu'on trouve une façon de se venger ? proposa Alizée. On pourrait écrire quelque chose sur son Facebook ? Comme je l'ai fait avec Julie...

— Pourquoi tu veux te venger ? demanda Sarah. Charlotte est notre amie...

Alizée haussa les épaules.

— Je n'aime pas les hypocrites, conclut-elle.

Sarah finit par essuyer ses larmes et conclut que la vengeance était l'arme des faibles. Elle décida qu'aller discuter avec la principale intéressée était le meilleur moyen de remédier à la situation. Le conflit était basé sur un malentendu et elle souhaitait le régler le plus rapidement possible. Elle irait donc voir Charlotte chez elle après les cours pour mettre les choses au clair. Alizée fut déçue du plan de son amie, mais ne pouvait certainement pas décider pour elle.

Après les cours, Sarah se rendit directement chez Charlotte. Cette dernière l'accueillit un peu froidement. Elle ne l'invita pas à entrer, signe qu'elle était très fâchée.

— Tu n'es pas avec David? À moins que tu en aies déjà terminé avec lui ou qu'il se soit tanné de toi... Pas de caméra pour vous filmer pendant l'acte, cette fois-ci?

Sarah ne tint pas compte du commentaire, sachant fort bien que son amie était blessée et que sa méchanceté était en fait une carapace. Rien à voir avec Alizée dont la méchanceté était innée.

— Laisse-moi entrer, s'il te plaît. Il fait froid et je ne vais pas discuter avec toi dans le cadre de porte.

Charlotte ouvrit la porte et la laissa pénétrer dans le vestibule.

— Non, je ne suis pas avec David, pour la simple et bonne raison qu'il n'y a rien et qu'il n'y aura jamais rien entre nous, dit Sarah une fois à l'intérieur.

— Ah bon, dit Charlotte d'un ton qu'elle voulait neutre, mais qui montrait son soulagement. Mais vous faisiez quoi ensemble l'autre jour ? demanda-t-elle en croisant les bras.

— On est tombés par hasard l'un sur l'autre et on a discuté, c'est tout. J'étais triste à cause de ma mère et il m'a consolée.

— En couchant avec toi, présuma-t-elle.

— Non, mais arrête donc ! Je n'ai pas couché avec lui. Je ne couche pas avec tout le monde, quand même ! lança-t-elle peut-être un peu trop fort compte tenu du fait que les parents de Charlotte étaient au salon.

— Chut ! murmura celle-ci. Mes parents vont t'entendre. Excuse-moi, je ne voulais pas dire ça.

Sarah s'approcha de Charlotte et lui fit un câlin.

— Charlotte, tu es mon amie. Je savais que tu t'intéressais à David. Penses-tu réellement que je me serais empressée de sauter sur lui, sachant qu'il te plaisait ? Est-ce que c'est mon genre ?

— Non, ce n'est pas ton style. J'étais toute mêlée. Il y a David qui me dit qu'il s'intéresse à toi, ensuite Alizée qui me dit que tu as sûrement déjà couché avec lui... Je ne savais plus quoi penser, dit-elle avec un sourire triste.

Sarah ne fut pas étonnée qu'Alizée ait émis un commentaire semblable. Par contre, l'intérêt que lui portait David la surprit. Pourtant, elle n'avait rien fait pour l'encourager. Cela la flatta un peu, puis elle pensa à la peine de Charlotte. Non, elle ne pouvait pas songer à entamer une relation avec lui. Cela ferait trop de tort à son amie.

— On en a déjà discuté, Charlotte. Il ne faut jamais prendre les commentaires d'Alizée au pied de la lettre. Tu sais de quoi elle est capable.

— Tu as raison. Je m'excuse pour tout ce que j'ai pu dire à ton sujet. Je ne sais pas ce qui m'a pris. Je voyais rouge, on dirait. Veux-tu que j'aille dire à David que c'était n'importe quoi ?

— Non, c'est correct. Et tes excuses sont acceptées. Heureusement que David ne connaît pas encore beaucoup de monde à l'école ; je me retrouverais avec une mauvaise réputation, ajouta Sarah en riant.

Mais Sarah riait un peu jaune. Elle devrait parler au jeune homme pour éviter qu'il croie qu'elle était une fille facile. Elle ne souhaitait pas, justement, avoir une réputation.

7
La semaine de relâche

— Donc, comme je vous disais, il y avait ce garçon, Mike. Il était génial ! Grand, les cheveux mi-longs, de beaux yeux verts. Il a passé la soirée avec moi et m'a même invitée à aller voir le spectacle de musique qu'il donnait ; c'est un musicien dans un groupe de musique émergente. Je n'ai pas pu y aller parce que ce soir-là, ma mère m'emmenait voir le spectacle de One Direction. Nous avions des passes VIP. J'ai même rencontré les membres du groupe. Vous avez bien reçu mes photos, hein ?

Le flot de paroles d'Alizée était intarissable. Sarah et Charlotte entendaient parler du voyage à New York depuis déjà une semaine et n'en revenaient pas du nombre de choses que leur amie avait accomplies en seulement quatre jours. À croire que ses journées duraient quarante-huit heures, ou qu'elle n'avait pas dormi du tout. Les deux filles ne se souvenaient pas avoir reçu des photos du groupe One Direction. Alizée disait-elle la vérité à ce sujet ?

— Je me rappelle pas de ces photos, dit Charlotte. Tu es certaine de les avoir envoyées ?

— Bien sûr. Peut-être qu'elles ne se sont pas rendues sur vos cellulaires parce qu'ils sont trop vieux.

— Ben, on a reçu les autres, renchérit Sarah.

— Je ne suis pas une spécialiste, répliqua Alizée. Je vous montrerai les photos une autre fois. Elles sont effacées de mon cellulaire. J'en ai tellement pris que j'ai dû en effacer une bonne centaine pour créer de l'espace.

— J'ai bien hâte de les voir, dit Charlotte. J'adore ce groupe. Les gars sont tellement *hot*.

— De près, ils sont encore mieux! s'exclama Alizée. Mais bon, le spectacle m'a empêchée d'être avec le beau Mike. Ahhh... lui aussi il est *hot*.

Sarah et Charlotte voyaient rarement leur amie s'extasier de la sorte devant un gars.

— Est-ce que Mike parle anglais? demanda Charlotte, curieuse d'en savoir plus.

— Qu'est-ce que t'en penses... il habite à New York. Il parle certainement pas français. T'es vraiment nouille, toi.

— Il aurait pu parler français, maugréa Charlotte. Il y a des tas de gens dans le monde qui parlent français...

— Non, je te confirme qu'il parle bel et bien l'anglais. Ce n'est pas très grave. *I speak english very well!*

— Et il a quel âge, ton beau Mike? demanda Sarah.

— Hum... je pense qu'il a vingt ans. Ou peut-être dix-neuf. Mais il ne sait pas que j'ai quinze ans. Il pense que j'en ai dix-sept. Je n'ai pas vraiment l'air de quinze ans... ben, quand je ne porte pas cette gamme affreuse. Ma mère me maquillait chaque soir, là-bas, et je m'habillais avec les vêtements que j'achetais. J'étais très *glamour*.

Charlotte crevait de jalousie. Sarah, elle, était suspicieuse. Elle connaissait assez son amie pour douter de la véracité de son histoire. Tout cela était passablement facile à vérifier, mais elle avait d'autres chats à fouetter pour l'instant. La semaine de relâche arrivait à grands pas et elle avait promis à sa mère de passer quelques jours en sa compagnie. Le traitement qu'elle suivait était terminé pour l'instant et, dans l'attente des résultats, moins affaiblie puisqu'elle ne faisait plus de chimio, elle se sentait d'attaque pour passer du temps de qualité avec sa fille. Sarah avait très hâte. Pour la première fois en presque dix ans, elle passerait beaucoup de temps avec sa mère. Elle mettait de côté l'histoire d'agression sexuelle pour profiter de la vie. Son père était content qu'elle ait fait ce cheminement, mais il avait tout de même peur pour sa fille. Il sentait qu'elle avait un manque d'affection à combler. Peut-être que le fait de se rapprocher de sa mère l'aiderait ?

— C'est dommage que Mike habite si loin, continua Charlotte, tu ne pourras plus le voir.

— Eh bien – Alizée prit un air mystérieux et se pencha vers ses amies – vous vous souvenez, quand je suis revenue, je vous ai parlé d'un photographe qui m'avait remarquée là-bas ?

Bon, une autre histoire, songea Sarah. Charlotte se pencha, écoutant avidement son amie.

— Eh bien, je vais aller le rencontrer pendant la semaine de relâche.

— Non ! s'exclama Charlotte. T'es pas sérieuse ! C'est tellement excitant !

— Tu as entendu ça, Sarah ? Alizée va devenir un mannequin de renommée internationale et nous, ses amies, on va aller la visiter partout dans le monde. Je nous y vois déjà !

— T'exagères pas un peu, là ? répliqua Sarah. Alizée a à peine vu le photographe. Il y a plein de filles qui se trouvent impliquées dans des arnaques semblables. Elles posent pour un photographe, il les fait boire, leur demande gentiment de se dévêtir et la première chose qu'on sait, boum ! la photo de la fille nue se promène partout sur Internet.

— C'est sûr que tu t'y connais, toi, en termes de « photo nue » sur Internet, renchérit Alizée d'un ton ironique.

Sarah fit la sourde oreille. Elle ne voulait plus laisser les commentaires d'Alizée l'atteindre. De son côté, le discours de Sarah fit fondre l'excitation de Charlotte. Son amie se retrouverait-elle dans un réseau de pornographie ? Trouverait-on sa photo partout sur le Net ? Elle frissonna à cette pensée.

— Mais non ! Vous exagérez, comme toujours, répondit Alizée. Ma mère a parlé au photographe et il est tout ce qu'il y a de plus honnête. Et je ne me dévêtirai pas comme une novice. Il m'en faut beaucoup, à moi, pour me déshabiller devant les autres, dit-elle avec un regard en coin destiné à Sarah.

— Et penses-tu revoir ton beau Mike, si tu retournes à New York ? demanda Charlotte. Si jamais ça marche entre vous, as-tu songé à la distance qui vous sépare ? Ta mère a beau avoir de l'argent, elle ne peut pas te payer un billet d'avion chaque semaine, quand même.

— Bof, ce n'est pas un problème. Ça se peut que Charles se trouve un emploi là-bas. Il a peut-être une offre sur la table. Donc, je pourrais déménager là avec mes parents. Ma mère peut exercer son métier partout. D'ailleurs, elle a dit à Charles qu'elle avait adoré son voyage et que vivre à New York serait son plus grand rêve.

En fait, Nancy avait bien dit à son conjoint que vivre à New York serait un rêve, mais son beau-père lui avait répondu qu'il n'était pas question pour lui de quitter son emploi. Mais ça, les filles n'avaient pas besoin de le savoir.

— Tu es tellement chanceuse, dit Charlotte. Ta vie va toujours bien. J'aimerais être à ta place.

— Charlotte, il ne te manque rien pour être heureuse ; tout ce que possède Alizée, c'est superflu, lui dit Sarah, sans tenir compte d'Alizée qui avait répondu à un appel sur son cellulaire et qui ne les écoutait plus.

— Facile à dire, pour toi. Tu es belle, mince et intelligente. Si t'avais la fortune d'Alizée, tu serais exactement comme elle.

— Peut-être, mais j'espère que non. Je suis contente d'être moi-même, avec mes qualités et mes défauts.

— Tiens, on parle des défauts de Sarah, dit Alizée qui avait raccroché. J'en ai long à dire sur le sujet, ajouta-t-elle avant d'éclater de rire.

— Les filles, je dois partir, annonça Charlotte. Je vais assister à la récupération de français. On a un examen de grammaire demain et je ne comprends rien. Comprenez-vous ça, les subordonnées ? Moi, je suis toute perdue.

— Eh bien, va travailler ! Nous resterons ici et mangerons ton repas, répondit Alizée en faisant allusion au fait que Charlotte n'avait pris que quelques bouchées dans son assiette.

Charlotte les salua, ramassa son repas encore pratiquement intact et, comme chaque midi, le jeta à la poubelle. Son programme « d'entraînement », qui consistait à ne pas manger, fonctionnait bien, puisqu'elle avait déjà perdu cinq livres. Elle avait toujours faim et sa tête tournait souvent, mais le résultat était là. Dans l'équipe de *cheers*, elle se sentait maintenant à sa place et ne tirait plus sur son uniforme pour camoufler ses petites rondeurs. Voyant que Sarah s'apprêtait elle aussi à partir, Alizée tira un gros livre de son sac à main. Sarah reconnut *Cinquante nuances de Grey*, le *best-seller* mondial que toutes les femmes, ou presque, avaient lu.

— Tu lis ça ? demanda-t-elle.

— Oui. On devait choisir un livre pour le cours de français. C'est ce que j'ai choisi. Ma mère a la trilogie à la maison.

— Tu es certaine que M. Tessier sera d'accord ? C'est un peu osé, non ?

Alizée haussa les épaules. Que son enseignant soit d'accord ou non était le cadet de ses soucis.

— Je veux m'inspirer, pour quand je reverrai le beau Mike, dit-elle avec un large sourire. Je te les prête quand j'aurai fini, si tu veux. Ça te permettra d'ajouter quelques cordes à ton arc.

— Alizée, peux-tu arrêter de faire des allusions au fait que j'ai déjà couché avec quelques gars ? Je n'en ai pas tant que ça à mon actif, quand même… et je ne couche pas avec n'importe qui. On va en revenir, là…

— Bon, si on ne peut plus blaguer…

Alizée prit son livre et rangea ses effets dans son grand sac. Elle regarda Sarah, qui la toisait d'un air furieux, et lui fit un grand sourire.

— Bon après-midi, dit-elle.

Et elle se dirigea d'un pas nonchalant vers l'escalier central, saluant des amies en chemin. Alizée s'en allait justement à son cours de français. Elle avait hâte de voir la tête de M. Tessier lorsqu'elle lui montrerait son roman. Elle prit son temps pour se rendre au cours. Quand elle entra en classe, c'était l'émoi total. Des filles pleuraient et les garçons étaient mal à l'aise. M. Tessier discutait avec une éducatrice dans le corridor et tous deux semblaient préoccupés. N'aimant pas être la dernière au courant des ragots, elle questionna une fille qui n'avait pas l'air trop perturbée par la situation.

— Que se passe-t-il? demanda Alizée en s'installant à sa place habituelle.

— Y'a une fille qui a fait une tentative de suicide ce matin. Ça vient de sortir sur Facebook.

— Ah oui? C'est qui cette fille? Quelqu'un de connu dans l'école?

— Je la connais pas personnellement. Elle est dans notre cours. Tu sais, la petite grosse avec des lunettes. Comment elle s'appelle, déjà? Julianne? Ou un truc comme ça…

— Ah oui, je sais de qui tu parles. Celle qui a toujours les cheveux gras. Elle est tout le temps en train d'écrire dans son drôle de journal intime.

— C'est ça, c'est elle. La connais-tu?

— Bof… est-ce qu'elle vaut la peine d'être connue?

Les deux filles éclatèrent de rire. Celles qui pleuraient les dévisagèrent comme si elles étaient les responsables de la tentative de suicide de la pauvre Julianne, qui n'en pouvait plus de cette vie. Alizée prit un air un peu plus de circonstance.

— C'est dommage pour elle. Mais, heureusement, elle n'a pas réussi son coup. Ma mère dit toujours que le suicide coûte cher à l'État.

— Ah oui ? Pourquoi ?

— Ben, c'est nos impôts qui payent l'éducation, qui financent les garderies et tout, expliqua-t-elle d'un ton expert. Quand quelqu'un se suicide après avoir profité de ces services, c'est pratiquement comme jeter des milliers de dollars à la poubelle.

— C'est vrai, ça. Ta mère a raison !

Leur conversation fut interrompue par M. Tessier qui ferma la porte de la classe. Automatiquement, le silence plana. On n'entendait que les reniflements des élèves qui pleuraient quelques minutes plus tôt. M. Tessier se racla la gorge et entama un petit discours solennel.

— Comme certains d'entre vous en ont déjà entendu parler, votre consœur de classe, Julianne – *Ah ! c'est bien ça son prénom*, pensa Alizée – a tenté de mettre fin à ses jours ce matin.

Aussitôt, le concert de larmes reprit. Alizée trouva toutes ces personnes un peu hypocrites. Après tout, elle n'avait jamais vu aucune d'elles parler ou même se placer en équipe avec la pauvre Julianne. Mais elle continua d'écouter le discours de son enseignant.

— Heureusement, ses parents sont arrivés à temps et elle a été transportée à l'hôpital afin d'être traitée adéquatement. Ne vous inquiétez pas, elle est en de bonnes mains.

Il resta silencieux un moment, puis ajouta :

— Vous savez, la tentative de Julianne – il ne mentionna pas le mot « suicide », ne voulant sans doute pas donner l'idée à d'autres personnes un peu fragiles mentalement – est un appel au secours. Aurions-nous pu la prévenir ? Je n'en sais rien. Mais cet événement doit nous sensibiliser au fait que certaines personnes, des personnes que nous côtoyons tous les jours, souffrent énormément et ont besoin de notre soutien.

Trouvant son discours un peu ennuyant, et ne se sentant pas du tout interpellée par ses paroles, Alizée ouvrit son roman et se plongea dans l'univers du séduisant Christian Grey.

— Des psychologues seront appelés en renfort dans les prochains jours et les techniciens en travail social se tiennent à votre disposition en tout temps. Si vous souhaitez discuter avec eux, si vous êtes bouleversés par ce qui arrive, n'hésitez pas à aller les voir. Quand une personne passe à l'acte, d'autres, qui ont des pensées similaires, sont influencées par le geste et décident d'agir de même. Nous voulons prévenir cela. Moi-même, je me tiens à votre entière disposition. Si vous le souhaitez, nous pouvons prendre quelques minutes pour en discuter ou tout simplement nous en tenir à notre routine habituelle.

Les élèves bavardèrent quelques minutes avec M. Tessier qui leur parla franchement de la rudesse de l'adolescence, de tous les problèmes auxquels les jeunes devaient faire face et qui leur semblaient généralement aussi infranchissables qu'une montagne. Alizée n'écouta que d'une oreille, trop prise par sa lecture. Pendant qu'ils discutaient, quelques élèves sortirent de la classe pour aller rencontrer l'éducatrice. L'enseignant comprit qu'il ne serait pas en mesure de faire travailler ses élèves et les laissa en petits groupes de discussion. Comme il avait repéré Alizée et son roman, il se dirigea vers elle.

— Alizée.

Elle sursauta, tellement elle était concentrée.

— Oui, monsieur Tessier ?

— J'aimerais que tu ranges ton roman. Je trouve que c'est très inapproprié de l'avoir apporté à l'école.

— Ah… Comment vous pouvez savoir ça ? L'avez-vous lu ?

— Je ne l'ai pas lu, mais comme toute la planète, j'en ai entendu parler. Ce n'est pas un roman approprié pour une jeune fille de ton âge.

— Pourquoi ? Avez-vous peur que j'utilise les techniques de Christian Grey pour tenter de vous séduire ?

— Ça suffit, Alizée. Tu vas beaucoup trop loin. Surveille tes paroles.

— Vous exagérez un peu, monsieur Tessier. Je ne faisais que blaguer. Vous savez bien que vous n'avez aucune chance avec moi…

— Sors de mon cours tout de suite, dit-il un peu trop fort.

Heureusement pour M. Tessier, personne n'avait entendu la remarque d'Alizée. C'en était trop pour le jeune enseignant. Déjà qu'il gérait une crise relative à la tentative de suicide de Julianne, il n'était pas d'humeur à gérer une élève capricieuse qui sous-entendait n'importe quoi. Qui plus est, les propos de cette élève pourraient mettre sa carrière en péril !

Alizée prit son temps pour refermer son livre, y glissant un signet pour ne pas perdre sa page, et elle ramassa ses affaires. Avant qu'elle ne franchisse le pas de la porte, M. Tessier lui dit :

— Va directement au bureau de la directrice avec ton livre.

— C'est vous le patron ! répondit-elle avec un sourire charmeur.

Elle pourrait continuer sa lecture pendant qu'elle attendrait que la directrice se libère. Tant mieux !

Malheureusement pour elle, elle n'eut pas à attendre trop longtemps. Elle passa directement dans le bureau de Mme Duguay.

— Si vous êtes trop débordée pour me recevoir, madame Duguay, je comprends très bien, dit Alizée une fois installée confortablement sur sa chaise. Avec toute cette histoire de suicide, vous devez avoir d'autres chats à fouetter…

— J'ai toujours du temps pour toi, Alizée, répondit la directrice d'un ton un peu ironique. Mais si M. Tessier t'envoie ici, il doit avoir une très bonne raison…

— Bof… il est fâché à cause de mon choix de roman. Rien de bien dramatique. Je crois qu'il est un peu à fleur de peau à cause de la tentative de suicide de Julianne, dit-elle sur le ton de la confession.

— Et quel roman lis-tu exactement?

Alizée sortit son livre et le montra à la directrice.

— L'avez-vous lu, madame Duguay? C'est vraiment bon. J'ai hâte de voir le film.

— Alizée, tu es une fille intelligente. Tu aurais dû te douter que M. Tessier n'accepterait pas que tu lises ce livre en classe. Ta mère est-elle au courant que tu lis ce roman?

— Bien sûr, c'est elle qui me l'a prêté. Madame Duguay, je suis peut-être jeune, mais je sais faire la différence entre la fiction et la réalité. Je trouve ce récit divertissant, c'est tout. Je suis certaine que vous l'avez lu, en plus.

— Non, Alizée, je ne l'ai pas lu et je suis très surprise que ta mère approuve ce choix de lecture. Mais puisque tu dis qu'elle t'a prêté son exemplaire…

La directrice soupira. Encore un dossier à gérer. Quelle journée !

— Bon. Je ne veux plus te voir avec ce genre de littérature, c'est clair ?

— C'est vous la patronne, répondit Alizée. Je peux retourner en classe, maintenant ?

— Va plutôt à la bibliothèque. Je veux aussi connaître la version de M. Tessier avant que tu remettes les pieds dans son cours. Mais tu me laisses ton livre. Je vais appeler ta mère pour qu'elle vienne le récupérer.

Alizée maugréa un peu, mais laissa finalement son roman à la directrice.

— Ne perdez pas ma page, s'il vous plaît. Et bonne lecture, ajouta-t-elle en présumant que sa directrice gardait le livre pour le lire.

Mme Duguay soupira encore une fois. Elle décrocha le combiné et appela la mère d'Alizée.

Alizée prit le chemin de la bibliothèque, mais changea d'idée en cours de route. Elle décida qu'elle n'avait pas envie d'aller à son cours d'anglais à la quatrième période. Elle retournerait chez elle ; elle avait envie d'aller voir le profil Facebook de Julianne. Dans l'émoi causé par l'événement, personne ne remarquerait son absence. Il serait donc facile pour elle de convaincre sa mère de motiver celle-ci. Elle enfila son manteau et prit le chemin de son domicile. C'était l'un des avantages de vivre près de l'école. Pendant le court chemin, elle réfléchit à ce qu'elle avait dit à son enseignant. Était-elle allée trop loin en suggérant qu'il puisse avoir des intentions à son égard ? Elle espéra qu'il n'en parlerait pas à la directrice. Elle serait dans de beaux draps si c'était le cas. Dès qu'elle arriva à la maison, son téléphone sonna. Elle reconnut le numéro de sa mère.

— Salut maman, dit-elle. Quoi de neuf ?

— Je viens de parler à ta directrice. Où es-tu ?

— Je suis revenue à la maison. Je me sens très perturbée par tout ce qui arrive à l'école aujourd'hui, mentit-elle.

— Ah ! ma pauvre chouette ! Je te comprends. Toute cette histoire de suicide et en plus, ton enseignant qui se fâche pour rien. Tu as bien fait de retourner à la maison. Je vais appeler à l'école pour motiver ton absence.

— Merci, maman. Elle t'a dit quoi, la directrice ?

— Bah, elle m'a dit que je devais surveiller tes lectures et blablabla... Je lui ai répondu que ça me regardait et qu'elle n'avait pas à se mêler de ce que tu lis, puisque tu es si intelligente et mature. J'ai précisé que tu savais très bien faire la différence entre la fiction et la réalité.

Alizée sourit. Elle avait dit la même chose à Mme Duguay. Au moins, Nancy et elle étaient sur la même longueur d'onde.

— Mais bon. Elle m'a aussi mentionné que je devais passer récupérer le roman. Je lui ai dit de le garder et d'en faire don à la bibliothèque, qui manque un peu de piquant.

Nancy éclata de rire, fière de sa blague.

— Je passerai à la librairie t'en acheter un nouvel exemplaire, ma grande. En attendant, essaie de te changer les idées.

— D'accord. Viens-tu souper ? Ou est-ce que Charles s'occupe du repas ?

Nancy resta silencieuse un moment.

— Je travaille tard ce soir, donc ne m'attends pas. Je n'ai pas parlé à Charles. S'il n'est pas arrivé à dix-huit heures, commande chez le Libanais. Ils ont déjà mon numéro de carte de crédit.

La perspective d'un petit souper libanais devant la télévision enchanta Alizée. Une chance que sa mère pensait à ces détails. Nancy lui donna ses dernières recommandations et raccrocha. Alizée se dirigea vers sa chambre et ouvrit son ordinateur. Elle n'eut aucune difficulté à trouver le profil Facebook de Julianne. Plusieurs personnes avaient déjà écrit des messages de réconfort et d'encouragement.

— Quelle bande d'hypocrites, se dit Alizée à voix haute. Je suis certaine qu'ils ne lui parlent jamais au quotidien. Mais dès qu'il y a un drame, elle devient la fille la plus populaire de l'école.

Cela lui donna une idée. Si les gens sur les réseaux sociaux ne savaient pas se montrer honnêtes, elle, elle était pro là-dedans. Depuis le temps, elle s'était déjà créé plusieurs comptes anonymes. Elle se connecta à l'un deux, retourna sur la page de Julianne et publia : « Le suicide est pour les faibles. » Son message détonna franchement dans la mer des « Bon courage ! » et des « On pense à toi ! » mais elle se félicita pour son honnêteté. Elle alla ensuite télécharger la version électronique de *Cinquante nuances de Grey* sur iTunes, bien que sa mère ait promis de lui acheter un nouvel exemplaire. Elle ne pouvait pas attendre jusque-là pour replonger dans l'univers mystérieux et fantasque du beau Christian Grey.

Le lendemain, le récit de la tentative de suicide de Julianne était sur toutes les lèvres. On parla peu du commentaire qu'Alizée avait publié sur sa page, ce qui la déçut. En sortant d'une rencontre de *cheers* qui avait lieu sur l'heure du dîner, Alizée et Charlotte discutèrent de l'événement. Charlotte expliqua à Alizée qu'elle comprenait très bien les émotions de Julianne, elle-même ayant déjà songé à mettre fin à ses jours. Sarah rejoignit les deux filles et entendit cette remarque. Le trio s'assit par terre dans la cage d'escalier pour continuer leur conversation loin des oreilles indiscrètes.

— Vraiment, Charlotte, tu as déjà pensé au suicide ? demanda Sarah.

— Oh oui ! Plusieurs fois, même. Une fois, j'ai été jusqu'à enlever la moustiquaire de la fenêtre de ma chambre ; j'étais prête à me jeter en bas, expliqua-t-elle d'un ton très sérieux. Mais à la dernière minute, ma mère a frappé à la porte et m'a annoncé que nous allions en vacances à Walt Disney pendant l'été. On aurait dit un signe de Dieu. J'avais toujours rêvé de visiter cet endroit. J'ai replacé la moustiquaire et je n'ai plus fait de tentative par la suite. Si je vous en parle aujourd'hui, c'est parce que j'ai fait la paix avec moi-même à ce sujet…

Alizée éclata de rire.

— Franchement, Charlotte, t'entends-tu parler? «J'ai fait la paix avec moi-même à ce sujet...», dit-elle en imitant le ton de son amie. Crois-moi, si tu ne l'as pas fait, c'est parce que tu n'avais pas réellement l'intention de mettre fin à tes jours. C'est pas un stupide voyage qui t'en aurait empêchée.

— Et qu'est-ce que tu connais là-dedans, toi? Tu fais certainement pas partie de ces filles qui se sentent mal dans leur peau au point de vouloir en finir, dit Charlotte, furieuse.

— Tu as raison sur ce point, je ne m'abaisserais jamais à ça. Le suicide, c'est pour les lâches. Mais je comprends que certaines personnes songent à cette alternative. L'avez-vous vue, la pauvre Julianne? Laide à faire peur. Je ne suis pas surprise qu'elle ait pensé à s'enlever la vie... Ma mère m'a toujours dit que pour réussir dans la vie, il fallait être beau et intelligent. Ceux qui n'entrent pas dans ces catégories sont automatiquement des perdants. Julianne devait le savoir; c'est pour ça qu'elle voulait mourir.

— Entends-tu ce que tu dis? Tu es méchante, Alizée, dit Sarah. Sa tentative de suicide, c'est un cri de désespoir, un appel à l'aide.

— Tiens, tu es branchée sur le même discours que M. Tessier, toi.

— Je dois avoir raison, dans ce cas, renchérit-elle en croisant les bras.

Alizée haussa les épaules. Elle en avait marre de ces histoires. Elle préféra changer de sujet et parler de choses qui la concernaient, comme d'habitude.

— Charlotte, pendant la semaine de relâche, je compte sur toi pour t'entraîner le plus fort possible. Nous avons une importante compétition de *cheerleading* qui s'en vient et tu dois être prête. Je ne serai pas là pendant une semaine pour te pousser dans le derrière.

Charlotte se raidit, comme pour montrer qu'elle était tout ouïe.

— Oui, je serai prête, c'est certain ! J'ai tellement hâte ! J'ai perdu sept livres depuis le retour des Fêtes !

Ce qui avait contribué à sa perte de poids était sa petite peine d'amour. Elle avait recroisé David, mais il ne lui avait pas manifesté beaucoup d'intérêt. Sarah avait discuté avec le jeune homme, lui expliquant qu'elle ne cherchait pas de chum pour l'instant. Elle lui avait aussi dit qu'il était tombé dans l'œil de Charlotte, mais il avait balayé l'idée du revers de la main. Charlotte ne l'intéressait pas.

Sarah n'avait pas dit cela à Charlotte, ne voulant pas lui faire davantage de peine. Le mutisme de David était assez blessant comme ça.

— Où tu vas déjà pendant la relâche ? demanda Sarah.

— Mais ça fait au moins cent fois que je vous le dis ! Tu fais de l'Alzheimer ou quoi ? Je m'en vais à New York pour le *photoshoot*. Je vais sûrement revoir le beau Mike. J'ai hâte ! Il est tellement *hot*.

— Ah oui, c'est vrai. J'avais oublié, dit Sarah.

— Est-ce qu'on pourra voir les photos de ton photographe ? J'aimerais vraiment ça, ajouta Charlotte.

— Je ne pense pas. Il y a des droits d'auteur à respecter et tout. Je vais voir avec lui si je peux vous en envoyer une ou deux, très discrètement.

— Tu les enverras sur Snapchat. Comme ça, elles disparaîtront.

— Je vais voir ce que je peux faire. J'ai tellement hâte. Peut-être qu'on me verra en première page d'un magazine, un jour !

— Tu es tellement chanceuse ! Et toi, Sarah, tu vas encore voir ta mère ? demanda Charlotte en se tournant vers son autre amie.

— Oui, je pars demain matin. Je vais rester cinq jours environ. Je veux aussi passer un peu de temps avec mon père.

— Ah ! Les filles. J'ai oublié que je voulais vous raconter quelque chose. Je n'en reviens pas que j'y aie pas pensé avant, annonça soudain Charlotte. En fin de semaine, j'ai surpris mes parents à faire l'amour ! Ark !

— Ahhh ! dégueu ! s'exclamèrent Sarah et Alizée.

— Je n'ai jamais été gênée de même de toute ma vie. En plus, ma mère a voulu m'en parler après. Euh... non !

— Hein, qu'est-ce qu'elle t'a dit ?

Sarah était curieuse. Elle-même avait déjà entendu son père avec l'une de ses blondes, mais elle ne lui en avait jamais parlé. Cela l'embarrassait beaucoup trop.

— Elle m'a expliqué qu'elle et mon père s'aimaient beaucoup et que c'était normal pour des gens qui s'aiment de faire l'amour et blablabla... Je voulais rentrer sous terre.

— Tes parents ne sont pas gênés de faire l'amour quand vous êtes là ! Ils pourraient attendre que vous soyez partis quand même, commenta Alizée. Peut-être qu'ils ont lu *Cinquante nuances de Grey* et que ça les a excités ?

Les trois filles éclatèrent de rire, retrouvant leur complicité d'autrefois. Alizée pouvait tellement être drôle quand elle le voulait.

— Parlant de ça, je vais aller affronter M. Tessier. Il a fallu que je me trouve un autre livre de lecture. J'ai choisi un roman plate dans la bibliothèque de ma mère. Aucun sexe à l'horizon. Je me garde ça pour ma semaine à New York, dit Alizée avec un regard de connivence.

— C'est vrai, on ne se reverra pas avant une semaine, conclut Charlotte. C'est trop long !

Elle prit ses amies dans ses bras et leur fit un câlin. Elle promit à Alizée de s'entraîner comme une folle. La cloche mit fin à leur accolade.

Le dimanche soir, Alizée eut une violente dispute avec sa mère.

— Comment ça, on s'en va en Abitibi ? s'écria-t-elle. On avait dit qu'on irait au spa ensemble et qu'on magasinerait dans les Laurentides.

Nancy s'attendait à la colère de sa fille. La semaine de relâche qu'elles avaient planifiée n'aurait pas lieu comme prévu.

— Je dois aller rencontrer plusieurs médecins. C'est comme un congrès, expliqua Nancy. Et tu viens avec moi.

— Pas question. Je reste ici avec Charles.

— Charles ne sera pas ici. Il est occupé lui aussi.

— Alors, je resterai seule.

— Tu n'as que quinze ans. Je ne vais pas te laisser seule une semaine entière. Non, tu viens avec moi, un point c'est tout. Tu pourras en profiter pour lire la suite de *Cinquante nuances de Grey*. On loge au Holiday Inn. Ce n'est pas le summum du luxe, mais il y a un jacuzzi et une piscine intérieure. Tu prendras un rendez-vous pour un massage dans un centre pas trop loin de l'hôtel.

— Donc, si je comprends bien, tu ne veux pas me laisser seule à la maison, mais tu n'as aucun problème à me laisser seule dans un hôtel. C'est très logique…

— Tu sais bien que ce n'est pas la même chose. Je vais rentrer chaque soir et nous pourrons aller manger dans de bons restaurants.

— Des bons restaurants ? En Abitibi ? À part le Saint-Hubert, est-ce qu'il y a des restaurants là-bas ?

— Ne sois pas de mauvaise foi, répliqua Nancy. Tu n'as pas le choix, de toute façon. Prépare tes choses, on part demain.

— Et il est où, Charles, au juste ?

— Je t'ai dit qu'il n'était pas là. Pas besoin de dresser un inventaire de ses activités.

Le ton de sa mère était sec, signe que la discussion était terminée. Alizée soupira très fort, mais Nancy continua à boire son verre de vin sans tenir compte de sa fille.

— Je n'irai pas, ajouta Alizée pour la forme. Je ne ferai pas mes bagages.

— Très bien, dit sa mère. Rosalie les fera pour toi. Mais je peux t'assurer que tu ne seras peut-être pas satisfaite du contenu de ta valise.

Connaissant le manque de goût de la femme de ménage, Alizée soupira encore plus fort et se dirigea vers sa chambre d'un pas lourd. Elle sortit sa valise de la garde-robe et commença à jeter des choses pêle-mêle dedans. Sa mère cogna à sa porte quelques minutes plus tard. Elle n'attendit pas d'être invitée avant d'entrer. Alizée lui tourna résolument le dos.

— Écoute, ma grande. Je sais que ce n'était pas notre plan initial, mais je n'ai pas le choix. Dieu sait que j'aurais préféré des petites vacances ; je me sens tellement fatiguée ces temps-ci. Je pense que je travaille trop, dit-elle en s'étendant sur le lit de sa fille.

Alizée ne répondit pas, continuant d'ignorer sa mère, et fouilla au fond de son grand placard. *Tiens, une paire de bottes que je cherchais, récemment.* Sa mère se remit à parler.

— Tu pourrais inviter une amie à venir avec toi ? Mais pas Sarah. On lui est peut-être venu en aide avec cette histoire de garçon et de vidéo, mais je ne lui ai pas encore totalement pardonné le coup de la bouteille d'eau. Pourquoi pas Charlotte ? Ça lui ferait sans doute du bien, des petites vacances aux frais de la compagnie. Toutes les dépenses sont payées, je pourrais vous prendre une chambre privée.

— Tu veux que j'invite une amie en Abitibi ? C'est vrai que c'est très *glamour*…

— Alizée, je fais des efforts pour t'accommoder. Sois gentille, je te prie. Appelle donc Amélie, ton amie des *cheers*, elle nous coûtera moins cher de nourriture que Charlotte, dit-elle dans une tentative de blague sur les rondeurs de son amie.

— Personne n'aura le goût de faire cinq heures de route pour se retrouver enfermé dans un hôtel *cheap*. De toute façon, je ne peux pas inviter mes amies.

— Pourquoi ?

— Je leur ai dit que je retournais à New York pendant la relâche.

— Ah oui ? Bon, c'est vrai que nous nous sommes bien amusées là-bas. Ça aurait été plaisant d'y retourner. Bon… libre à toi d'inviter quelqu'un ou pas. Mais nous partons comme prévu demain matin.

Sa mère quitta sa chambre, ne songeant même pas à lui demander pourquoi elle avait menti à ses amies concernant ses plans de la semaine de relâche.

8

La compétition de *cheerleading*

— Alizée? Tu es revenue? C'était comment New York? Je n'ai pas reçu de photos, je présume que le photographe ne voulait pas que tu les partages.

D'habitude, Alizée détestait quand Charlotte criait comme une écervelée mais, cette fois-ci, elle apprécia le comportement de son amie. Plusieurs personnes se retournèrent et la regardèrent avec une curiosité teintée de respect.

— Tu as tout compris, Charlotte. John m'a dit qu'il ne pouvait pas me donner les photos tant qu'elles ne seraient pas vendues à un magazine. J'attends de ses nouvelles dans les prochains jours, annonça Alizée.

— Wow, c'est génial! s'exclama Charlotte. J'ai hâte de te voir dans une revue, je pourrai dire à tout le monde que je te connais.

Alizée remarqua que son amie avait perdu du poids durant sa semaine d'absence. Elle ne lui en fit pas la remarque et préféra lui demander si elle s'était entraînée adéquatement pour la compétition de *cheers* qui arrivait à grands pas.

— Oh oui! répondit Charlotte. Je me suis entraînée chaque jour avec les filles. On est pas mal bonnes. J'ai hâte que tu nous voies ce soir.

Charlotte passa sous silence le fait qu'elle avait à peine mangé durant la semaine. Ses parents commençaient réellement à s'inquiéter. Ils menaçaient même de la retirer de l'équipe de *cheerleaders*. Elle avait négocié avec eux. S'ils la laissaient participer à la compétition, elle recommencerait à mieux s'alimenter. Ses parents avaient hésité, mais avaient finalement accepté, sachant ce que cela représentait pour leur fille. En secret, ils pensaient déjà la changer d'école l'année suivante pour l'envoyer dans un établissement où un suivi psychologique était offert aux jeunes filles de son âge.

— As-tu vu Sarah? demanda Charlotte. Elle n'a répondu à aucun de mes messages en fin de semaine. Je me demande si elle est revenue de chez sa mère.

Alizée ne répondit pas. Elle repensait à la semaine qu'elle venait de vivre, l'une des plus ennuyantes de sa vie. Premièrement, sa mère et elle étaient parties très tôt le lundi matin. Le chemin jusqu'en

Abitibi avait été long et plate, sa mère parlant exclusivement au téléphone. Comme le Bluetooth passait par la radio principale, Alizée dut se résoudre à écouter sa musique sur son iPhone, ce qui ne dura qu'une petite heure puisque sa batterie se déchargea rapidement. Comme Nancy monopolisait tous les branchements possibles de la voiture, elle resta silencieuse pendant plusieurs heures, perdue dans ses pensées ou écoutant les discussions de sa mère. Pas question pour elle de lire son roman, cela lui donnait invariablement le mal des transports. Leur hôtel était ce qu'il y avait de plus standard et la connexion Internet était très mauvaise. Sa mère travaillait de longues heures et soupait souvent avec ses clients. Le seul restaurant huppé de la ville était réservé aux adultes. Malgré les tentatives de Nancy, Alizée se vit refuser l'accès et se trouva recluse dans sa chambre d'hôtel. Alors qu'à New York on ne lui avait interdit aucun lieu, voilà que l'Abitibi lui fermait ses portes. Quelle situation ironique… Alizée loua donc film par-dessus film, faisant littéralement exploser la facture de la chambre. Elle s'en fichait. Sa mère avait tenu à ce qu'elle vienne ; elle s'occupait comme elle le pouvait. Tout son temps libre eut le mérite de lui permettre d'inventer une belle histoire d'amour avec Mike et une séance photo digne des meilleurs mannequins. Elle était plus que prête à débiter ses beaux mensonges à son cercle d'amies. C'est d'ailleurs ce qu'elle fit ce midi-là. Tout le monde l'écouta attentivement, excepté Charlotte qui ne cessait de balayer la cafétéria des yeux à la recherche de Sarah qui ne s'était toujours pas montré le bout du nez.

— Alors, Mike m'a donné rendez-vous en haut de l'Empire State Building, vous savez, comme dans le film *Sleepless in Seattle* avec Meg Ryan et Tom Hanks, expliqua Alizée.

— Quel film ? demanda une fille, perplexe.

— Ben voyons, tout le monde connaît ce film-là. Donner un rendez-vous à une fille en haut de cet édifice, c'est la chose la plus romantique du monde, déclara Alizée.

— J'ai jamais vu ce film…

En fait, Alizée non plus ne l'avait jamais vu avant son séjour imposé en Abitibi. Cela faisait partie des gratuités qu'elle avait visionnées avant de choisir des films payants, tannée des vieux classiques. Elle avait sélectionné ce film justement parce qu'elle se doutait que la plupart de ses amies ne l'auraient pas vu. Alizée trouvait que cela conférait un caractère romantique et mystérieux à son histoire.

— Et vous avez fait quoi, ensuite ? demanda une autre amie, curieuse.

— On a observé la ville sous toutes ses coutures et il a enchaîné en disant qu'il ne savait pas pourquoi il m'avait emmenée ici, puisque la plus belle vue était déjà sous ses yeux.

Ça aussi, elle l'avait entendu dans un film.

— Hooon !... s'exclamèrent toutes les filles en chœur.

— Il est tellement *cute*, ton Mike. Rien à voir avec les gars de notre école qui ne connaissent rien à l'amour, dit Amélie.

— Je suis sûre que vous avez couché ensemble, ajouta une autre *cheer*. Impossible que vous ne l'ayez pas fait. Moi, c'est sûr que je n'aurais pas résisté. Un beau garçon plus vieux et romantique de surcroît. Est-ce qu'il a un frère ?

Tout le monde à table éclata de rire, mais Alizée ne répondit pas à la question. Elle se contenta de faire un de ses sourires énigmatiques.

— Et ta mère, ça ne la dérangeait pas que tu sortes avec un gars plus vieux, dans une ville inconnue, en plus ?

— Bof, ma mère me fait entièrement confiance. Elle a beaucoup discuté avec Mike, la première fois qu'on est allées à New York, et elle a trouvé que c'était un bon gars. En tout cas, cet été, c'est à son tour de venir me voir. Je vous le présenterai. Vous verrez, il est vraiment craquant.

— As-tu des photos? demanda Charlotte qui se mêla finalement à la conversation, n'ayant toujours pas repéré Sarah.

— Il a promis de m'en envoyer dans les prochains jours.

— Quoi? Il n'est pas sur Facebook?

— Non, il n'aime pas ce réseau social. Il trouve que ça fait enfantin. D'ailleurs, je songe moi aussi à fermer le mien. Franchement, toutes les histoires des autres ne m'intéressent pas vraiment.

— Je vais aller à la recherche de Sarah, annonça Charlotte, interrompant le discours d'Alizée. Je me demande vraiment où elle se trouve. Son enseignante d'art m'a dit qu'elle l'avait vue ce matin. Ça veut dire qu'elle est à l'école. Elle doit se cacher quelque part.

— J'y vais avec toi, dit Alizée, contente que son amie la sauve des questions de plus en plus indiscrètes de ses copines.

Elle emboîta le pas à Charlotte, qui prit la direction du local d'art. C'était là, généralement, que

Sarah se cachait quand ça n'allait pas. Cette fois-ci pourtant, Charlotte la localisa dans la cage d'escalier. Elle était assise par terre et David était près d'elle. Elle sanglotait ; il lui tenait la main. Charlotte eut un pincement au cœur en les voyant. Sarah allait-elle sortir avec David, finalement, bien qu'elle ait dit qu'il ne l'intéressait pas ? Ils avaient l'air si intimes. Elle repensa à la fois où elle s'était chicanée avec son amie à cause de lui et préféra lui donner le bénéfice du doute plutôt que de se fâcher avant de connaître le fondement de l'histoire. Elle se ressaisit et se dirigea vers Sarah. Alizée resta derrière, n'appréciant pas particulièrement les effusions de larmes. Elle s'installa sur un banc tout près, sortit sa lime à ongles et entreprit de limer un ongle qui la dérangeait depuis un petit moment. Charlotte lui retransmettrait l'essentiel de l'information le temps venu. C'est David qui remarqua Charlotte le premier.

— Ah ! Charlotte, dit-il d'un ton discret, comme s'il était en présence d'une personne qui se reposait, je suis content que tu sois là. Sarah a eu de mauvaises nouvelles.

— Ah… et pourquoi c'est toi qui la consoles ?

— Eh bien, je suis tombé sur elle par hasard. Je savais que sa mère était malade. Elle m'en a parlé l'autre jour. Comme je l'ai vue pleurer, je me suis douté que quelque chose n'allait pas. Je vous laisse entre filles. Sarah, appelle-moi si tu veux parler, ajouta-t-il un peu plus fort.

Cette dernière hocha la tête, toujours en reniflant. Charlotte s'installa près d'elle et attendit qu'elle se confie. Une autre de leurs amies passa par là.

— Oh ! tu pleures, qu'est-ce qui t'arrive...

— Va-t'en, ce n'est pas tes affaires, dit Alizée, toujours occupée à se limer les ongles.

La curieuse lui jeta un regard mauvais, mais ne répliqua pas. Alizée avait beau être bête, personne n'osait lui tenir tête, tant chacun voulait être son amie. Charlotte réussit finalement à connaître les fondements de la peine de son amie.

— C'est ma mère, annonça-t-elle.

Alizée, qui entendait même si elle ne se trouvait pas à proximité, roula des yeux.

Elle n'en finira jamais de parler de sa mère, pensa-t-elle.

— Elle m'a appris, pendant la relâche, que ses traitements n'étaient pas terminés parce qu'ils fonctionnaient, mais bien parce qu'ils ne fonctionnent pas. Les médecins ne peuvent plus rien pour elle, dit-elle en se remettant à pleurer. Son cancer est trop agressif. Ils l'ont découvert trop tard. Il ne reste plus qu'à attendre qu'elle meure...

Charlotte n'en revenait pas. Elle ne savait pas quoi dire à son amie. Elle lui tapota l'épaule gentiment, dans le but de la consoler un peu.

— Mais pourquoi tu te caches ici ? demanda-t-elle. T'aurais pu venir nous voir et nous en parler.

— Je ne suis pas capable de le dire sans pleurer. Je n'avais pas envie de m'humilier devant toute l'école.

— Et tu vas faire quoi, maintenant ?

— On en a discuté, mon père et moi, et on pense que la meilleure solution serait de déménager près de chez elle. De cette façon, on pourra lui apporter tout le support possible.

— Ton père a dit ça ? Je croyais qu'il détestait ta mère depuis qu'elle a laissé son frère abuser de toi, commenta Alizée qui s'était rapprochée.

Sarah la fusilla du regard.

— Ça ne te tente pas d'être un peu plus discrète à propos de ma vie personnelle, Alizée ? Pour une fois, sois donc compatissante.

Alizée haussa les épaules nonchalamment et regarda autour d'elle.

— Personne n'a entendu. Charlotte est au courant, je ne vois pas pourquoi je me censurerais.

— Alizée, fais attention, s'il te plaît, dit Charlotte.

La jeune fille tourna les talons et reprit sa place sur le banc en soupirant.

— Mon père a beaucoup discuté avec ma mère dernièrement. Ils ont mis les choses au clair et se sont réconciliés. Nous avons visité des logements près de chez elle, la semaine dernière. Je finis l'année scolaire ici et nous déménagerons là-bas. Mon père demandera un transfert au travail et on pourra être présents pour aider ma mère, le temps qu'elle est en vie, précisa-t-elle en se remettant à sangloter.

Charlotte fut consternée. Sa meilleure amie déménagerait. Que deviendrait-elle sans Sarah ?

— T'es sûre que c'est une bonne idée ? demanda-t-elle, espérant que son amie changerait d'avis en cours de route. Et ton père ? T'es certaine qu'il vit bien avec cette décision ? Sa carrière pourrait être en jeu, conclut-elle comme s'il était un médecin de renom et non un simple commis dans une épicerie.

— C'est vrai, renchérit Alizée qui s'était rapprochée en entendant la nouvelle. Comment ton père peut-il être à l'aise dans cette décision ? Ça fait des années que ta mère et lui se parlent à peine…

— Mon père consulte un psychologue depuis qu'on a appris la maladie de ma mère. Après plusieurs semaines de thérapie, il a conclu que la moindre des choses qu'il pouvait faire, c'était d'oublier le passé et de tout faire pour l'aider dans ces moments difficiles. Après tout, il a déjà été très amoureux d'elle. En plus, c'est important de faire la paix avec une personne qui est sur le point de mourir, dit Sarah en séchant ses larmes du revers de sa manche.

Cette pensée philosophique étonna Charlotte. Pourrait-elle faire le même cheminement d'esprit un jour ? Quand elle avait appris, quelques mois plus tôt, que son amie avait été victime de viol, elle avait été atterrée. Elle éprouvait encore de la difficulté à assimiler la nouvelle. Elles en avaient discuté, Sarah et elle, et cette dernière lui avait assuré qu'elle ne se souvenait de rien, ce qui rendait le pardon plus facile. La cloche qui sonna interrompit sa réflexion. Elles auraient bien le temps d'en reparler. Sarah renifla une dernière fois et se leva. Alizée était déjà partie, sûrement à la recherche d'une histoire plus excitante. Sarah sourit bravement à Charlotte et lui dit :

— Ne t'en fais pas, je ne serai pas si loin. On pourra se voir les fins de semaine.

Le seul point positif que Charlotte trouva dans cette histoire était que la peine qu'elle ressentait risquait de lui couper la faim. Dans les films, les filles en peine arrêtaient toutes de manger et perdaient nécessairement du poids. Ça devait sûrement fonctionner aussi dans la vraie vie. Tant mieux pour elle si c'était le cas.

On ne parla plus du déménagement de Sarah dans les jours qui suivirent. Il fut uniquement question de la compétition de *cheers*. Ce serait la première compétition de Charlotte et le stress était à son maximum. Elle ne mangeait presque plus depuis deux semaines tellement elle avait peur de ne pas entrer dans son uniforme. L'événement avait lieu à leur école et les filles se sentaient plus en confiance sur leur territoire. Plusieurs élèves assistèrent au spectacle. L'ambiance était à la fête. En coulisses, juste avant que vienne leur tour, Alizée donna ses dernières recommandations aux filles.

Toutes l'écoutèrent avidement. En plus d'être douée dans son rôle de capitaine de l'équipe, elle avait un sens très développé du leadership.

— Bon, les filles. C'est notre chance d'en mettre plein la vue. La compétition n'est pas féroce, mais nous devons miser sur nos forces pour gagner. Je ne sors pas d'ici sans une médaille. Compris ?

— Oui ! crièrent-elles en chœur.

Seule Charlotte ne répondit pas au cri de groupe. Elle avait mal au cœur et se sentait étourdie. Mais elle ne pouvait pas lâcher les filles ; elles comptaient sur elle. En regardant dans la foule, la nouvelle recrue aperçut l'ancienne *cheer* qui s'était cassé une jambe durant le spectacle de début d'année. Cette dernière marchait encore avec une béquille. Le fait de la voir dans les estrades augmenta la confiance de Charlotte. Elle devait prouver qu'elle était meilleure que celle qu'elle remplaçait. Elle prit une grande inspiration et s'élança sur le tapis au rythme de la musique, en compagnie des autres filles. Tout se passa bien jusqu'à la dernière minute. La prestation devait se terminer avec une pyramide phénoménale, avec, bien sûr, Alizée au sommet. Mais au moment où cette dernière s'apprêtait à être propulsée au haut de la pyramide, elle vit que quelque chose clochait, ce qui arrêta son mouvement. En effet, sous l'effet de la pression, et sans doute dû au fait qu'elle n'avait rien avalé de la journée, Charlotte eut un moment de faiblesse et s'effondra au sol, ce qui déstabilisa la pyramide et fit tomber toutes les filles déjà montées. Alizée se trouva donc face à un empilement de jambes et de jupettes. La musique continua à jouer avec un rythme endiablé, mais plus personne ne bougeait. La capitaine secoua la tête, horrifiée, et regarda la foule. La plupart des gens avaient une main devant la bouche pour signifier leur étonnement. Elle regarda ensuite les juges et comprit que leur victoire, qu'elle croyait assurée, venait de lui filer sous le nez. Tout ça à cause de son amie. Cette dernière reprenait justement connaissance. Alizée aurait eu envie de la gifler, mais comme elle était déjà revenue à elle, ce geste paraissait injustifié. On évacua le petit groupe. Heureusement, il n'y avait pas de blessées, uniquement quelques contusions. Étant les dernières à participer, on leur laissa quelques minutes pour se remettre de leurs émotions et l'équipe dut ensuite assister à la remise des prix. Les juges décidèrent, pour l'occasion, d'octroyer un prix de consolation aux filles. Alizée alla le chercher les dents serrées, mais prit quand même le temps de remercier le juge. La colère rôdait dans l'enceinte de l'équipe. Charlotte, qui se remettait tranquillement après avoir avalé la moitié d'un sandwich, sut qu'elle devrait affronter la fureur partagée des *cheers*. Sarah, qui avait assisté à l'événement, préféra intercéder en sa faveur. Elle se planta devant Alizée avant que celle-ci n'atteigne Charlotte qui se reposait sur un banc.

— Je crois que Charlotte est trop faible pour faire face à votre colère aujourd'hui, dit-elle à Alizée. Laisse la poussière retomber un peu. Je vais la raccompagner chez elle.

Alizée ne répondit pas et prit la direction du vestiaire avec ses coéquipières. Une fois qu'elles furent toutes entrées, l'une des filles prit le prix de consolation et le balança à bout de bras aussi fort qu'elle le put. Puis elle se tourna vers Alizée.

— Bravo pour ton bon recrutement, dit-elle d'un ton sarcastique. On a eu l'air de vraies folles devant toute l'école. Tu aurais dû savoir qu'elle n'était pas capable de supporter la pression. Maintenant, on va faire rire de nous.

— Ouin, elle a raison, renchérit une autre. Je pensais que tu la connaissais, Charlotte. Avoir su qu'elle nous ferait toutes tomber, on se serait arrangées sans elle. On sera jamais admises à la compétition de fin d'année, maintenant.

Les filles chialèrent pendant quelques minutes contre Charlotte. Finalement, le silence s'installa. Chacune avait dit ce qu'elle avait à dire.

— Bon, allez-vous me laisser parler? demanda Alizée.

— Vas-y. T'as quoi à dire pour ta défense?

— Premièrement, je vous ferai remarquer qu'on était toutes d'accord pour recruter Charlotte.

— Ben, y'avait personne d'autre, renchérit l'une des filles.

— Peu importe. On était d'accord, c'est l'important. Deuxièmement, vous ne pouvez pas blâmer Charlotte. La pauvre, ça ne tourne pas rond là-dedans, dit-elle en faisant tourner son doigt autour de sa tempe, imitant le signe que l'on fait quand on désigne quelqu'un de fou.

— De quoi tu parles, Alizée?

— J'ai découvert récemment que Charlotte est boulimique, chuchota-t-elle. Et qu'en plus, elle a plusieurs troubles liés à l'alimentation. Vous savez que c'est une maladie mentale. Tant qu'elle ne se fait pas soigner, elle ne pourra pas guérir.

Les filles restèrent silencieuses un moment, analysant l'information qu'on venait de leur donner. Il était vrai que certains éléments pouvaient laisser croire que Charlotte présentait des troubles alimentaires: les lunchs jamais mangés, les signes de faiblesse omniprésents. Mais pourquoi Alizée l'avait-elle recrutée si elle connaissait les problèmes de son amie?

— Je pensais qu'en lui donnant sa chance dans l'équipe, ça lui redonnerait une confiance en elle qu'elle n'a pas et que ça lui permettrait de trouver un équilibre pour régler son problème, expliqua-t-elle. Mais quand j'ai vu que ça ne donnait rien, il était trop tard. Je n'avais pas de raison valable de la renvoyer du groupe. J'ai essayé de l'aider et j'ai échoué. Voilà toute l'histoire.

— Ahh! Alizée, tu es tellement une bonne personne, s'exclama une fille qui souhaitait désespérément devenir une amie proche de la capitaine.

— Mais je crois qu'on devrait mettre Charlotte en dehors de l'équipe. On lui a donné sa chance, elle n'en mérite pas une seconde. Je n'ai pas de pitié pour les faibles qui ont peu de contrôle sur eux-mêmes, ajouta Alizée, retrouvant ainsi son caractère naturel.

— Tu ne penses pas qu'on peut lui donner une autre chance? demanda une fille touchée par l'histoire de Charlotte. La pauvre, elle voulait tellement être dans les *cheers*.

Toutes les filles, qui voulaient la renvoyer quelques instants plus tôt, avaient changé d'avis et approuvaient l'idée de leur coéquipière, mais Alizée resta inflexible.

— Elle a eu sa chance, on passe au suivant.

Sarah, qui se tenait dans la porte du vestiaire, entendit toute la conversation. Elle venait chercher les effets de Charlotte avant de la raccompagner chez elle. Elle attendit que les filles se soient changées et récupéra discrètement les vêtements et le sac à dos de son amie.

— Ça t'a pris du temps, commenta celle-ci quand Sarah lui tendit enfin ses affaires.

— J'ai eu de la difficulté avec le cadenas, mentit Sarah.

— As-tu vu les filles ? Je voudrais m'excuser.

— Elles sont parties. Inquiète-toi pas. Tu auras le temps de t'excuser un autre jour.

— D'accord, répondit Charlotte, soulagée.

Sur ces entrefaites, les parents de la jeune fille entrèrent dans l'école, paniqués. Ils cherchèrent Charlotte des yeux et elle leur fit un petit signe de la main. Immédiatement, ils se précipitèrent vers elle. Sa mère la tâta pour s'assurer qu'elle n'avait rien de cassé et elle la serra dans ses bras. Son père, lui, avait la mine sévère.

— Merci de t'être occupée d'elle, Sarah, et de nous avoir appelés, dit-il.

Sarah avait compris, quand la pyramide s'était effondrée, que son amie avait besoin d'aide pour résoudre ses problèmes. Elle qui se demandait depuis un long moment quoi faire pour l'aider, elle s'était résolue à appeler ses parents. Ils étaient les mieux placés pour venir à la rescousse de leur fille. D'ailleurs, à voir la mine de M. Tremblay, Sarah savait que Charlotte serait prise en main et que les démarches nécessaires seraient mises en place. Après un dernier remerciement, les parents escortèrent leur fille vers la voiture. La mère de Charlotte lui murmurait des paroles réconfortantes à l'oreille et lui caressait les cheveux comme on le fait à un jeune enfant. Sarah ressentit un petit pincement de jalousie. Elle n'était pas jalouse de Charlotte ; elle n'aurait pas voulu être à sa place, mais elle savait que jamais elle n'entretiendrait une relation pareille avec sa propre mère. Sa fin était trop proche. Elle s'isola dans une cage d'escalier et fondit en larmes. Pourquoi la vie était-elle si compliquée ?

Pendant la fin de semaine, Sarah eut le temps de réfléchir à ce qu'elle avait entendu dans les vestiaires. Elle décida qu'il fallait qu'elle confronte Alizée sur le sujet. Elle ne pouvait pas la laisser détruire la réputation de Charlotte en répandant la rumeur d'une possible boulimie. Charlotte ne voudrait plus jamais remettre les pieds à l'école. Déjà qu'elle manquerait les prochains jours en raison de son évaluation psychologique. Elle décida d'en discuter avec Alizée le lundi suivant. Elle alla la trouver à la cafétéria, sur l'heure du dîner, et lui signifia qu'elle voulait lui parler. Cette dernière la suivit avec curiosité.

— J'ai entendu ce que t'as dit dans le vestiaire, dit Sarah de but en blanc. Je trouve pas ça correct de ta part. Je veux que tu parles aux filles et que tu retires tes paroles concernant la maladie mentale de Charlotte. Et je veux que Charlotte reste dans l'équipe. Les autres filles sont d'accord, je les ai entendues.

Au départ, Sarah voulait seulement qu'Alizée garde Charlotte dans l'équipe, comme remplaçante, à la limite, mais à la dernière minute, dans le feu de l'action, elle décida d'exiger plus de son amie. Alizée haussa un sourcil et croisa les bras.

— Ça fait beaucoup de « je veux » tout ça. Et moi, je te réponds : « Pas question ! » J'ai une réputation à préserver. Pourquoi j'ai pris Charlotte dans l'équipe, tu penses ? Parce que tu n'arrêtais pas de me harceler pour le faire. Résultat, je me retrouve avec une défaite sur les bras. Il fallait bien que je trouve une excuse quelconque pour remonter le moral des troupes.

— Moi ? Je te harcelais ? Ben voyons donc, tu délires...

— Ah oui ? Tous ces regards, toutes ces remarques sur ma soi-disant « méchanceté » envers Charlotte. C'est pas toi, ça ? Tu m'as forcé la main. Je l'ai fait par amitié, et voilà que ça me retombe dessus.

Sarah leva la main pour la faire taire.

— J'en ai assez, dit-elle. Ça suffit, je n'en peux plus. Cette situation est ridicule. Tu sais quoi ? J'ai envie de te faire vivre ce que tu nous fais endurer depuis des années. Tu sais ? T'humilier aux yeux de tous...

Alizée lui lança un regard moqueur. Comme si elle pouvait avoir quelque chose contre elle !

— Tu te penses au-dessus de nous, hein ? Mais je connais ton secret. Je sais que tu n'es pas allée à New York pendant la semaine de relâche, qu'il n'y a pas eu de séance de photo avec un « photographe de renom», je sais aussi que tu as passé toute la semaine en Abitibi à t'ennuyer, enfermée dans ta chambre à regarder des films.

— Impossible ! Comment tu peux savoir ça ?

— Mon cousin travaille au Holiday Inn. Pas celui de New York, mais bien celui de Val-d'Or. Il t'a reconnue. Tu l'as rencontré il y a deux ans, quand il est venu pour les vacances d'été. Tu lui étais tombée dans l'œil. Dès qu'il t'a aperçue, il m'a appelée pour me dire que tu logeais à son hôtel. J'ai trouvé ça étrange, parce que tu nous avais dit que tu passerais la semaine aux États-Unis. Je lui ai demandé d'observer ce que tu faisais pendant la semaine. Ce n'est pas une très grosse ville. Tout se sait. Comme tu as dû être déçue de te faire refuser l'accès au restaurant dix-huit ans et plus ! Et de qui tu t'es inspirée pour inventer le beau Mike ? Le garçon de chambre ? Ou celui qui portait les bagages ?

— Tu n'as pas de preuves concrètes.

— Tu as raison, à part les quelques photos que mon cousin a prises de toi. Mais est-ce que j'ai l'habitude de mentir ?

Il était vrai que Sarah avait bonne réputation dans l'école. Toute cette histoire ébranla un peu

Alizée : la trahison de Sarah risquait de nuire à son statut. Mais elle avait une autre paire de cartes dans sa manche.

— Très bien, dit-elle. Tu veux jouer à ce petit jeu ? Parfait ! J'ai trouvé une vidéo qui me tient en haleine depuis des semaines. Peut-être que je devrais la partager sur Facebook, tu en penses quoi ?

Elle prit son téléphone cellulaire et pianota quelques secondes dessus avant de tourner l'écran vers Sarah. L'image était claire et on apercevait distinctement Sarah, à quatre pattes sur le tapis, les yeux fermés. Ses petits seins bougeaient à chaque mouvement de bassin de Julien et l'on entendait clairement ses gémissements, bien que le son de l'appareil soit au minimum.

— Je me demande comment je pourrais intituler ça sur YouTube : Jeune élève en chaleur, peut-être ? Combien de visionnements la vidéo aura, tu penses ? Peut-être que ton père tombera dessus par hasard pendant qu'il cherche de la porno sur le Web ? Qui sait ?

Sarah bouillonnait de colère et s'apprêtait à répliquer à Alizée quand celle-ci reprit la parole.

— Tut tut ! dit-elle. Avant de me traiter de quoi que ce soit, n'oublie pas que c'est toi qu'on voit à l'écran en train de te faire baiser par un gars qui t'a laissé tomber à la première occasion.

— Autrement dit, je ne peux pas te traiter de salope, c'est ça ? demanda Sarah qui reprenait peu à peu ses esprits.

— Tu as tout compris.

— Est-ce que tout va bien, ici ? intervint une surveillante qui passait par là.

Alizée cacha son cellulaire et sourit à l'enseignante.

— Oh oui, madame Gendron. Je ne faisais que montrer une petite vidéo drôle à mon amie. Pas de souci. En passant, j'adore votre jupe. Où l'avez-vous achetée ?

Connaissant bien l'élève, Mme Gendron ignora son commentaire et continua sa ronde de surveillance.

— Tu as gardé une copie de la vidéo, chuchota Sarah. Comment as-tu osé ?

— En fait, c'est une erreur bête, mais qui m'est très utile aujourd'hui. En effaçant le contenu de l'ordinateur de Julien, j'ai fait une sauvegarde sur mon disque dur sans m'en rendre compte.

Imagine ma surprise quand je suis tombée sur cette vidéo! Je l'ai visionnée en entier. Pas que je m'intéresse à ce genre de film habituellement, mais ça m'a fait bien rire pendant un moment. Et je ne suis pas certaine que cet angle t'avantage vraiment, dit-elle tournant l'écran de son téléphone vers Sarah. Tu y penseras la prochaine fois que tu coucheras avec un nouveau gars.

— Efface-la immédiatement.

— Pas question. Tant que tu me menaces, la vidéo reste là où elle est.

— À quoi tu joues exactement? Qu'est-ce que tu attends de moi?

— Écoute bien ce que j'ai à te dire. Après, tu me remercieras pour ce que je fais. Tu ne pourras plus dire que je n'ai pas de cœur…

Sarah croisa les bras et attendit. Elle ne savait plus vraiment où elle en était. À ce stade, plus rien ne pouvait la surprendre.

— Il te manque de l'information. J'ai dit aux filles de l'équipe que j'allais renvoyer Charlotte. En fait, je pensais attendre la fin de l'année scolaire pour le lui annoncer. On n'a plus de compétitions – grâce à elle, merci bien! – et on n'a plus de pratiques prévues non plus. Comme je t'ai dit, j'ai ma réputation de capitaine à garder, je dois me montrer impitoyable. Mes filles doivent savoir que si elles me déçoivent, elles n'ont pas de deuxième chance.

Sarah roula les yeux et soupira, mais laissa Alizée continuer son histoire.

— Mais là, je n'aurai pas besoin de renvoyer Charlotte parce que je viens d'apprendre que, de toute façon, elle ne fréquentera plus l'école l'an prochain.

— Ah non ? Elle ira où ? Et comment tu sais ça ?

— Sa mère a appelé la mienne, il y a quelques jours, pour savoir si elle connaissait un bon psy. Elle lui a aussi parlé de l'école où elle souhaite envoyer sa fille l'an prochain. C'est un établissement spécialisé pour les filles qui ont des troubles psychologiques. Donc, je fais croire aux *cheers* que j'ai renvoyé Charlotte et je fais croire à Charlotte que les filles sont fâchées contre elle pour l'instant, mais qu'elles lui laisseront une nouvelle chance l'an prochain. C'est du gagnant-gagnant.

— Ah oui ? Pour qui ?

— Arrête donc d'être négative.

— Bon, je te l'accorde, tu fais quelque chose de bien pour Charlotte, mais je ne suis pas d'accord avec ton plan quand même. Je déteste quand tu mens. Et en plus tu ne fais encore que penser à ta propre petite personne dans tout ça.

— C'est faux ! Je pense à Charlotte avant tout. Je veux m'assurer qu'elle passe une belle fin d'année scolaire. Et d'ailleurs, je trouve que j'ai le cœur sur la main. Pourquoi je me soucierais autant de vous deux et de vos réputations ? Vous ne serez même plus là l'an prochain.

— Oh oui ! et c'est parfait comme ça parce que j'en ai assez de toi. Je te trouve trop *bitch*, pis en plus, tu ne penses qu'à toi et à ton petit bien-être. Tu sais quoi ? Je suis presque contente que ma mère soit malade. Ça me donne une bonne raison pour ne plus être pognée avec toi. Et en ce qui me concerne, l'amitié entre nous est terminée. Tu peux bien révéler mes secrets au grand jour, je m'en fiche.

— Bon, bon, la mélodramatique. Tu exagères un peu. Pour une fille qui se plaint que je pense uniquement à moi, je te trouve un peu égoïste. Pense donc à la pauvre Charlotte qui va revenir à l'école dans quelques jours. Qu'est-ce qui va se passer si elle se retrouve sans amies ? Elle ne le supportera pas. Fais un effort. On va permettre à Charlotte de passer une belle fin d'année, d'accord ? Après, tu déménageras et elle changera d'école. Tu n'auras plus à m'endurer, puisque ça semble si difficile…

Sarah pensa à son amie, à la peine qu'elle aurait en apprenant qu'elle changeait d'école et au désespoir qui l'envahirait si elle réalisait que ses deux meilleures amies ne se parlaient plus. L'idée d'Alizée n'était pas si mauvaise. C'était la même chose que deux parents qui restent ensemble pour le bien-être des enfants. Il ne restait que deux semaines d'école. Si elle avait enduré Alizée tout ce temps, elle pouvait bien faire un dernier effort pour son amie.

— Très bien, ton idée me convient, annonça-t-elle. Mais tu dois faire attention à tes commentaires. Plus rien de blessant envers Charlotte, compris ?

— Mais elle va se douter de quelque chose si je change, non ?

Sarah lui jeta un regard qui voulait dire « Je fais des efforts, alors fais-en toi aussi ».

— Bon, je ferai attention.

— Et dès que l'année scolaire se termine, tu effaces la vidéo devant moi. Et tu ne fais pas de copie supplémentaire.

Alizée fit la moue, mais hocha la tête en signe d'acceptation.

— Mais tu effaces les photos prises par ton cousin. C'est du donnant-donnant.

— Marché conclu. En attendant, tant que Charlotte n'est pas de retour, ce n'est pas nécessaire de faire semblant d'être amies, dit Sarah avant de tourner les talons.

9
La fin de l'année

Ce soir-là, Alizée retourna tranquillement chez elle. La température se réchauffait et il était plaisant de se promener sans manteau ni bottes. Elle profita de sa balade pour réfléchir aux paroles de Sarah. Était-ce vraiment la fin de leur amitié ? Cela faisait quelques mois que son amie la confrontait ouvertement et ça commençait réellement à la déranger. Remplacer Sarah ne serait pas difficile. Les deux filles n'avaient plus beaucoup de points communs. Mais perdre Charlotte et Sarah, c'était une autre paire de manches. Individuellement, elle les aimait bien, mais ce qu'elle appréciait par-dessus tout, c'était le petit trio qu'elles formaient depuis quelques années. Plusieurs de ses autres amies à l'école avaient tenté de joindre leur petit groupe, mais Alizée leur en avait toujours interdit l'accès. Peut-être était-ce parce que les trois filles se connaissaient depuis le primaire ? Au moins, Sarah avait promis de faire des efforts pour que la fin de l'année scolaire de Charlotte se passe bien. Pauvre fille. Elle se retrouverait dans une école de désaxées l'an prochain. Sa mère lui avait dit que la maman de son amie avait beaucoup pleuré au téléphone.

Comment Charlotte avait-elle pu en arriver là? En arrivant à la maison, Alizée remarqua une voiture inconnue dans l'entrée. Sa mère n'était pas là ; elle participait à un congrès pour quelques jours. Donc le visiteur ou la visiteuse était là pour Charles. Justement, la porte s'ouvrit comme la jeune fille s'apprêtait à entrer. Une grande femme, belle et séduisante, apparut devant elle. Elle salua Charles et eut l'air surprise de voir Alizée. Elle lui fit un bref signe de tête et se retourna vers l'homme une dernière fois.

— Je vous appelle très bientôt, dit-elle.

Et elle se dirigea vers sa luxueuse voiture, sans un autre regard vers Alizée.

— C'est qui? demanda Alizée, curieuse.

La perspective que Charles trompe sa mère avec cette beauté était faible, mais pas improbable.

— Une agente immobilière, répondit-il.

Il ne donna pas plus de détails, mais eut l'air contrarié que l'adolescente tombe nez à nez avec l'agente. Alizée avait déjà entendu sa mère dire qu'un nouvel environnement leur ferait du bien. Peut-être qu'ils planifiaient déménager, mais qu'ils souhaitaient garder la surprise? Elle ne posa pas de questions supplémentaires à ce sujet.

— Qu'est-ce qu'on mange ce soir, Charles?

— Je ne sais pas. Tu devras te commander quelque chose, je crois. Le frigo est vide et je dois retourner au travail.

Décidément, quelque chose semblait le déranger. Jamais il n'utilisait ce ton avec elle.

— Rosalie n'a pas fait l'épicerie ?

— Non, je l'ai renvoyée hier, expliqua-t-il.

— Quoi ? Comment ça ?

— Ses services ne nous étaient plus utiles.

— Mais qui s'occupera de la maison ?

— Eh bien, nous. Faire le ménage et l'épicerie n'a jamais tué personne. D'ailleurs, nous ferons une liste de tâches ce week-end. Nous aurons chacun de petites choses à faire dans la maison. Mais nous en reparlerons. Je dois partir.

Charles l'embrassa distraitement sur le front et se dirigea vers la porte. Il revint sur ses pas, sortit un billet de vingt de son portefeuille et le déposa sur le comptoir.

— Pour ton souper, précisa-t-il. Ne m'attends pas, je rentrerai tard.

Elle n'eut pas le temps d'ajouter un commentaire qu'il était déjà parti. Mais que se passait-il exactement ? Alizée tenta de joindre sa mère pour en savoir un peu plus, mais elle tomba sur sa boîte vocale. Elle essaya à plusieurs reprises, en vain. Toute cette histoire la contrariait. Était-elle en train de s'imaginer des choses ? Charles était-il vraiment au travail ou dans les bras de la belle agente qui avait promis de le rappeler ? Elle décida finalement que ce n'était pas à elle de s'en faire à ce sujet. Si Charles était infidèle, c'était à sa mère de gérer le dossier. Alizée empocha l'argent et décida de farfouiller dans le garde-manger. Toute cette histoire lui avait coupé l'appétit, mais elle devait quand même grignoter quelque chose. Elle trouva un sachet de nouilles Ramen et fit bouillir de l'eau. Elle mangea son repas devant la télévision, mais impossible pour elle de se concentrer. Alizée aurait aimé pouvoir appeler quelqu'un et se confier, mais qui ? Charlotte était internée dans sa maison de fous et Sarah lui avait clairement fait comprendre que leur amitié allait à la dérive. Elle ne voulait pas partager ses problèmes avec les filles de l'équipe de *cheers*. En tant que capitaine, elle avait une réputation à préserver. Pas question de se montrer faible. La jeune fille ne comprit pas pourquoi elle se sentait aussi mal. Peut-être qu'un petit remontant l'aiderait à passer au travers ? Quand sa mère revenait du travail et qu'elle avait eu une dure journée, elle prenait toujours un cocktail. Pourquoi ne pas faire la même chose ? Décidée, elle se dirigea vers le cabinet à alcool. Celui-ci n'était pas barré, Nancy faisant entièrement confiance à sa fille. Alizée regarda les bouteilles ouvertes. Elle aurait préféré boire du champagne, mais ce type de boisson ne durait pas longtemps entre les mains de sa mère. Elle jeta donc son dévolu sur la bouteille de gin. Elle se fit un gin-tonic, comme Charles les faisait le vendredi soir, quand tout le monde était à la maison. L'amertume du *drink* fit grimacer Alizée à la première gorgée, mais après quelques essais, elle y prit finalement goût. Elle en but un premier, puis un deuxième. Au troisième, sa tête tournait légèrement, probablement dû aussi au fait qu'elle avait à peine mangé. Ayant souvent vu sa mère pompette le vendredi, elle fit comme cette dernière et avala deux comprimés de Tylenol avec un grand verre d'eau. Elle s'effondra sur son lit en riant. Elle avait l'impression de flotter, c'était assez drôle. Elle s'endormit finalement et ronfla jusqu'au matin.

Le lendemain, un peu nauséeuse, Alizée décida de prendre une journée de congé. Elle resta sagement à la maison en avant-midi et alla magasiner en après-midi. Une nouvelle garde-robe de printemps lui était nécessaire. Elle chercha aussi un nouveau maillot de bain. Il commençait à faire chaud et bientôt la piscine serait ouverte. C'était un temps de l'année qu'elle aimait beaucoup. Elle pouvait inviter ses amis à venir se baigner chez elle. C'était toujours très plaisant. Alizée envoya un message texte à sa mère pour lui demander de motiver son absence et ferma ensuite son téléphone. Elle n'avait pas envie de s'expliquer avec Nancy. La journée passa rapidement et elle retourna à l'école le lendemain. Sur l'heure du dîner, Alizée fut surprise, mais contente de voir que Charlotte était de retour. Les deux filles se parlèrent quelques minutes seulement, car Charlotte devait retourner dîner chez elle. Ses parents surveillaient désormais étroitement son alimentation. Avec l'aide de la psychologue, ils avaient mis au point un plan très précis pour l'aider à faire la paix avec la nourriture et reprendre le droit chemin en termes de nutrition. Elle annonça aussi à Alizée que ses parents lui interdisaient maintenant de faire partie de l'équipe de *cheers.* Ils réviseraient leur décision l'année suivante. Alizée savait très bien qu'il n'existait pas d'équipe là où Charlotte s'en allait, mais ne dit rien. Le fait que son amie quitte le groupe par elle-même la soulageait d'un grand fardeau. Elle n'aurait pas à lui débiter tous les mensonges qu'elle avait préparés. Dire que Sarah et elle s'étaient chicanées pour ça... Alizée dîna avec ses copines. Sarah ne se pointa pas le bout du nez. Dès que Charlotte serait de retour officiellement à l'école, elle devrait faire des efforts, mais en attendant, elle pouvait bien se cacher dans son local d'art.

Juin arriva, avec la nervosité relative aux évaluations de fin d'année. Alizée n'était pas stressée : ses notes étaient excellentes dans toutes les matières. Du côté de Sarah, tout allait bien aussi. Elle travaillait avec acharnement sur une exposition qui aurait lieu à la fin de l'année. Elle avait la possibilité d'obtenir une bourse pour passer deux semaines dans un camp artistique. Sarah prévoyait rester avec sa mère tout l'été, mais un petit deux semaines dans un univers d'artistes ne lui ferait pas de tort. Son père avait trouvé un nouvel emploi ; leur déménagement était imminent. La seule qui travaillait d'arrache-pied était Charlotte. Elle bûchait réellement dans tous ses cours, mais rencontrait quand même de grandes difficultés. Voyant bien qu'elle avait besoin des périodes de récupération offertes sur l'heure du dîner, ses parents décidèrent de lui faire confiance et de la laisser manger à l'école. Ils s'étaient entendus avec Sarah et Alizée : ces dernières devaient s'assurer que Charlotte mangeait tout ce qu'il y avait dans sa boîte à lunch. Celle-ci, heureuse de recommencer à dîner avec ses amies, ne se fit pas prier. Elle suivait une thérapie et aimait beaucoup sa psychologue. Comme elle souhaitait lui plaire, elle s'alimentait correctement. Si bien que les trois filles se retrouvèrent, fidèles à leurs vieilles habitudes, à manger toutes les trois ensemble.

— Je pense que Charles trompe ma mère, annonça Alizée de but en blanc, alors que les trois filles étaient dehors et profitaient de la chaleur du soleil.

Sarah et Charlotte relevèrent la tête, surprises. Sarah préférait généralement ne pas prendre part aux conversations avec Alizée, mais elle était curieuse. Elle avait toujours aimé Charles qu'elle considérait humble, sympathique et surtout très terre à terre comparé aux femmes qui partageaient sa vie. L'idée qu'il fut infidèle lui paraissait impossible.

— Ah oui? Pourquoi tu penses ça? demanda-t-elle.

L'intérêt soudain de Sarah n'échappa pas à Alizée et lui fit même plaisir.

— Eh bien, il y a d'abord cette femme mystérieuse que j'ai croisée à la maison l'autre jour, pendant que ma mère était absente. Ensuite, il m'a envoyé un drôle de texto. Je suis sûre qu'il ne s'adressait pas à moi. Et quand je lui ai répondu, il m'a dit d'oublier ça, qu'il parlait à ma mère. Mais je trouve ça louche, quand même.

— Et il disait quoi, le texte ? demanda Charlotte.

— Ça disait : « Ce que tu me proposes me plaît énormément. J'ai envie de dire oui, mais je ne suis pas encore totalement libre d'accepter. » Avouez que c'est vraiment suspect.

— Ouin, vraiment suspect, commenta Charlotte. En tout cas, si Charles trompe ta mère, c'est un vrai *douchebag*.

— C'est bizarre, cette histoire, dit Sarah. Est-ce que t'en as parlé à ta mère ?

— Non, elle aussi agit étrangement en ce moment. Je ne sais pas ce qu'elle a. Généralement, elle n'est pas à la maison, mais quand elle est là, elle s'enferme dans sa chambre en prétextant un mal de tête. Elle a toujours l'air fâchée.

— Peut-être que ta mère commence sa préménopause, suggéra Charlotte. La mienne est en plein dedans et je peux te dire que ça brasse dans la maison. On entend le mot « hormone » au moins dix fois par repas. Pauvre papa…

— Hum… peut-être. Au moins, si c'est le cas, elle est bien placée pour se trouver des pilules. Mais je trouve tout ça suspect quand même.

— En as-tu parlé à Charles ? Peut-être qu'il pourrait t'éclaircir un peu plus sur la situation, suggéra Sarah.

— Oui, c'est vrai. Je crois que je vais faire ça... Bon, les filles. Il fait vraiment trop beau pour retourner en classe. Pourquoi on ne va pas se baigner chez moi? L'eau était pas mal chaude quand je suis partie ce matin. Après, on ira dans le spa.

— Je n'ai pas mon maillot, répondit Charlotte.

— Ce n'est pas grave, j'en ai plein qui te feront. Allez, ça va être super! On n'a même pas séché un seul cours cette année. C'est notre dernière année les trois ensemble, il faut au moins le faire une fois, non? Je vais demander à ma mère de motiver nos trois absences. Je suis sûre qu'elle dira oui.

— Je ne peux pas, dit Charlotte. Aujourd'hui, on révise pour l'examen de lecture en français. Je dois absolument être présente. Je ne peux pas encore couler mon année! J'ai à peine atteint le seuil de réussite cette année. Et l'examen est demain.

— Justement, il n'y a pas d'examen aujourd'hui. Profitons-en!

— Non, désolée. Une autre fois peut-être.

— Et toi Sarah? Est-ce que ça te tente?

Sarah hésita. Elle n'avait pas de plan précis pour l'après-midi. Elle venait de terminer son œuvre d'art et respirait enfin. La perspective d'une baignade était très alléchante, mais elle ne voulait pas se retrouver seule avec Alizée.

— Eh ! salut les filles ! Vous faites quoi de bon ?

David arriva sur son vélo. Il laissa tomber celui-ci par terre et s'effondra à côté de Charlotte, en sueur.

— Il fait trop chaud. Je suis en train de mourir de soif !

— Eh bien, justement, j'essayais de convaincre mes amies de venir se baigner chez moi. Mais ça n'a pas trop l'air de les tenter. Je serai obligée d'y aller toute seule.

Alizée regarda Charlotte. Cette dernière dévorait David des yeux. Son béguin n'était pas passé. Cela donna une idée à Alizée.

— Tu es le bienvenu, David, si tu veux venir te rafraîchir. On pourrait s'organiser une petite fête !

— Ouais ! Bonne idée. Je vais inviter quelques gars de l'équipe de football. Un seul homme ne peut pas combler trois femmes, dit-il avec un clin d'œil.

— Excellente initiative. On se rejoint tous chez moi dans une demi-heure. Va faire ton recrutement !

— À tantôt, les filles. Je suis sûr que vous avez toutes hâte de me voir dans mon maillot, blagua-t-il en enfourchant son vélo.

— Alors, Sarah, viens-tu?

— Pourquoi pas? Je n'avais rien de spécial cet après-midi.

Charlotte, qui regardait encore David, décida qu'elle ne voulait pas manquer la petite fête. Surtout, elle ne voulait pas laisser Sarah seule en sa compagnie. S'il s'avérait que leur relation évolue au cours de l'après-midi, elle ne se le pardonnerait jamais.

On n'a qu'une seule vie à vivre, se dit-elle.

Voyant que Charlotte réfléchissait encore et semblait maintenant tentée par l'idée, Alizée fit une dernière tentative.

— Allez, Charlotte, viens avec nous. On va bien s'amuser. Ce soir, je t'aiderai à étudier pour ton examen de français. Je l'ai fait l'an passé et je me souviens des questions. J'ai entendu M. Tessier dire qu'ils utilisent souvent les mêmes examens d'une année à l'autre. Tu n'as pas à t'inquiéter. Tu auras un cours privé avec moi plutôt qu'avec ton enseignante qui n'aura pas une minute à te consacrer, trop occupée avec les autres élèves.

Charlotte hésita encore un peu pour la forme.

— Je vois bien que tu en as envie...

— D'accord, mais je vais chez moi chercher mon maillot, par exemple.

— C'est comme tu veux, mais si tu vas chez toi, ta mère risque de se demander ce que tu fais là...

— Ah oui, tu as raison. Tu es sûre qu'un de tes maillots me fera? Je ne voudrais pas avoir l'air trop grosse...

— Oui oui, c'est sûr qu'on va te trouver quelque chose. On y va?

— Ben, on va rentrer nos plateaux de la cafétéria, avant, dit Sarah.

— Pas besoin, on les laisse ici. Quelqu'un les ramassera. Si on rentre, nos chances de se faire pincer sont plus grandes. Je sais que Mme Duguay m'a à l'œil en ce moment. Je ne sais pas pourquoi d'ailleurs...

Les filles laissèrent donc leurs plateaux sur place et prirent la direction de la maison d'Alizée. En marchant, elles oublièrent tous leurs soucis, heureuses d'avoir décidé de profiter de cette magnifique journée. Arrivées chez Alizée, il fallut quelques minutes à chacune pour choisir un maillot convenable. Peu de temps après, David débarqua avec quelques amis. Aussitôt dans la cour, ceux-ci enlevèrent leurs bermudas et sautèrent directement dans la piscine en boxer, sans la moindre gêne. Le petit groupe se lança le ballon, regarda les frasques des garçons qui plongeaient et joua même à Marco Polo. Tout le monde s'écrasa ensuite sur une chaise longue. David invita Charlotte à l'accompagner dans le spa. Les autres laissèrent le petit couple en paix. Charlotte fut contente de se retrouver en tête-à-tête avec le jeune homme.

— J'ai entendu dire que ça n'allait pas très bien, ces jours-ci, commença-t-il.

Charlotte ne répondit pas, préférant rester discrète sur le sujet.

— En tout cas, tu as l'air pas mal en forme, maintenant, dit-il d'un ton sincère.

— Merci, répondit Charlotte.

Que dire d'autre? Elle ne souhaitait pas s'éterniser sur le sujet. Toutefois, aucun autre sujet de conversation ne lui vint à l'esprit. Elle attendit donc en silence que David reprenne la parole. Ce dernier prit un air plus sérieux et ajouta.

— Je sais que je t'ai blessée quand je t'ai parlé de Sarah. Je m'excuse. Je ne savais pas que je t'intéressais, conclut-il avec un sourire.

— Ah non?

— Pas du tout.

— Tu sais – elle hésita, mais la porte était ouverte, elle devait se lancer – tu m'intéresses encore…

David eut l'air mal à l'aise. Il regretta d'avoir abordé le sujet. Un moment de silence plana sur le spa. Charlotte conclut aisément que ses chances avec David n'avaient jamais existé. Elle eut envie de pleurer. Elle regarda Alizée qui flirtait ouvertement avec l'un des amis de David. Pour une fois, ne pouvait-elle pas avoir de chance, elle aussi ?

— Que se passe-t-il ici ? tonna Charles.

Ce dernier se tenait derrière la moustiquaire et semblait en colère. Il arrivait tout bonnement à l'improviste et la dernière chose à laquelle il s'attendait était bien de trouver sa cour remplie d'adolescents à moitié nus. Tous sursautèrent au son de sa voix. Les garçons s'empressèrent de sauter dans leurs pantalons. En moins de deux minutes, l'endroit se vida.

— Alizée, peux-tu m'expliquer ce que vous faites tous ici ? En pleine journée d'école ?

— Calme-toi, Charles, répondit Alizée d'un ton nonchalant.

— Ne me parle pas comme ça, tu n'es pas ta mère.

Alizée rougit. Mal à l'aise, Sarah et Charlotte, qui n'étaient pas parties en même temps que les autres, rassemblèrent leurs vêtements et prirent la direction de la clôture. L'idée de se faire raisonner par le beau-père de leur amie leur plaisait plus ou moins. De toute façon, Charlotte n'avait qu'une envie : aller pleurer toutes les larmes de son corps chez elle. Elle s'était encore fait rejeter par le garçon qui lui plaisait... Après avoir rapidement salué ses amies, Alizée se retrouva seule avec Charles. Elle fulminait littéralement.

— Qu'est-ce qui te prend ? cria-t-elle. Tu me fais honte devant mes amis.

— Toi, qu'est-ce qui te prend ? À quoi tu joues, exactement ? Tu n'as que quinze ans, Alizée, tu n'as pas le droit d'inviter des amis à se baigner sans la présence d'un adulte, pendant les heures de classe en plus. Imagine si quelqu'un s'était blessé ? Qui aurait été responsable, tu penses ?

— Bon, ne te fâche pas pour ça, personne n'a été blessé à ce que je sache. Tu capotes pour rien...

— Tu ne sembles pas comprendre la gravité de la situation. Une vraie tête de linotte, comme ta mère.

— OK, t'es vraiment obligé de m'insulter ? T'as pas le droit de me parler comme ça.

— En tant qu'adulte responsable et propriétaire de la maison, j'ai tous les droits. Maintenant, va dans ta chambre. Nous en reparlerons au retour de ta mère.

C'était la première fois que Charles se montrait aussi sévère avec elle. Généralement, il était plutôt *cool* et lui permettait mille et une choses. Alizée était vraiment insultée. Elle prit la direction de la maison et laissa intentionnellement la moustiquaire ouverte derrière elle. Elle s'enferma dans sa chambre. Elle entendait Charles qui s'affairait au rez-de-chaussée, mais il ne vint pas lui présenter ses excuses. Ne comprenait-il pas qu'il l'avait humiliée ? Décidément, il ne connaissait rien à la vie des adolescentes. Au cours de la soirée, elle reçut plusieurs messages de Charlotte, mais décida de les ignorer. Elle n'avait envie de parler à personne. Sa mère ne rentra pas ce soir-là et ne tenta pas de la joindre non plus. Alizée trouva cela étrange. Nancy et elle étaient dues pour une bonne conversation. Quelque chose ne tournait pas rond et elle voulait des éclaircissements. Il lui fallut beaucoup de temps pour s'endormir. Elle cherchait une façon de banaliser l'événement qui venait de se produire, de se convaincre que Charles avait tous les torts dans l'histoire, mais elle n'y arriva pas. Elle venait de vivre toute une humiliation. Qu'allait-elle raconter à ses amis pour sa défense ?

Le lendemain, Alizée se présenta à l'école quelques minutes seulement avant le début des cours. Charles était déjà parti lorsqu'elle s'était levée. Aucune trace de sa mère à la maison. N'ayant pas prévu dans son horaire matinal la marche jusqu'à l'école, Alizée dut se presser. Elle avait un examen du Ministère ce matin-là. Pas question d'être en retard. Elle ne croisa ni Charlotte ni Sarah sur son chemin. Elle les verrait sans doute sur l'heure du dîner. Alors qu'elle se dirigeait vers son local de français, Anne, la T.T.S., l'interpella.

— Alizée ?

— Je suis pressée ; j'ai un examen.

— Ça ne prendra qu'une minute.

Alizée soupira et se tourna vers Anne.

— Ton beau-père a appelé. Il a confirmé que tu as séché ton cours hier. Et il ne motive pas ton absence. Tu as donc une retenue aujourd'hui sur l'heure du dîner. Je t'attends au local de retrait.

— Quoi ? Voyons, appelez ma mère, elle motivera.

— Il a été très clair. Il a même dit qu'on ne pouvait pas appeler ta mère. Comme il figure dans les répondants de ton dossier scolaire, nous devons prendre sa parole en compte. Je t'attends sans faute.

Alizée ne répondit pas et se dirigea d'un pas furieux vers son local. En voilà un qui entendrait parler d'elle. Elle se calma et fit son examen sans aucune difficulté. Cela lui fit penser à Charlotte. Cette dernière avait un examen en même temps qu'elle. Elle éprouvait de grandes difficultés en français et Alizée avait promis de l'aider. Sa promesse lui revint en tête. C'était sans doute pour ça que Charlotte l'avait appelée sans cesse la veille. Alizée se sentit un peu mal. Elle espéra que son amie se débrouillerait bien. Ensuite, elle se fit la réflexion qu'une soirée d'étude n'aurait sans doute pas eu de conséquence sur le résultat final de son amie. Elle se déculpabilisa en se disant que si Charlotte échouait à son examen, c'était parce qu'elle n'avait pas fourni l'effort qu'il fallait pendant toute l'année.

Le midi, elle ne vit pas ses amies, condamnée à se terrer dans le local de retenue. Comme les élèves pouvaient partir après leur examen, Sarah et Charlotte étaient sans doute déjà rentrées et en train d'étudier pour l'épreuve de mathématiques du lendemain. De retour chez elle, Alizée trouva encore une maison vide. Au moins, quelqu'un avait pris la peine de faire l'épicerie. Elle passa la soirée seule devant la télévision. Elle n'étudia pas, confiante de sa réussite à l'examen du lendemain. Le matin suivant, même scénario. À croire que ses parents l'avaient abandonnée. Serait-elle malheureuse, seule dans cette grande maison? Peut-être pas. Elle arriva encore à la dernière minute à l'école et fit son examen de maths. Sans surprise, elle n'eut aucune difficulté. De retour au vestiaire, elle aperçut Charlotte, accotée sur son casier, les bras croisés. Elle lui fit un signe de la main, mais son amie ne répondit pas avec sa fougue habituelle. Son visage était fermé.

— Salut Charlotte. Ça va?

— Pas vraiment, non. Tu avais promis de m'aider en français. J'ai essayé de te joindre toute la soirée et tu as ignoré mes appels. Résultat, je suis certaine que j'ai échoué. Je serai encore condamnée à reprendre mon français de deuxième secondaire.

— Écoute, Charlotte, il y a une raison à toute chose, se défendit Alizée. Même si on avait étudié, je ne suis pas certaine que tu aurais réussi l'épreuve. Tu as à peine eu la note de passage cette année…

— Si j'étais allée à mon cours de français comme prévu, au lieu de te suivre dans tes plans stupides, j'aurais passé, j'en suis sûre. En plus, à cause de toi, je suis obligée de changer d'école l'an prochain. Mes parents ne veulent plus que je te voie. Ils pensent que tu as une mauvaise influence sur moi.

Alizée se sentit très insultée. Comme si c'était de sa faute si Charlotte avait un trouble alimentaire. Ses parents avaient uniquement profité du fait qu'elle échouait son année pour lui annoncer son changement d'école. Ils avaient choisi cette excuse ; ce n'était pas fou. Alizée eut envie de dire à Charlotte que son changement d'école était planifié depuis longtemps, mais elle préféra se taire, pour une fois.

— Tout ça, c'est de ta faute, continua Charlotte en pleurant. Tu es méchante, égoïste et menteuse en plus. Tu n'es plus mon amie, je ne veux plus te voir. Tu as gâché ma vie ! cria-t-elle.

Elle prit son bracelet Pandora et le lança au visage d'Alizée, sous la mine abasourdie de plusieurs élèves qui se demandaient pourquoi la douce Charlotte tenait tête à la populaire Alizée.

La jeune fille en colère tourna les talons et rejoignit à grandes enjambées Sarah qui l'attendait un peu plus loin. Cette dernière avait tout vu et tout entendu. Elle regarda Alizée et secoua la tête. Ensuite, elle prit son amie par le bras et la raccompagna à la porte de l'établissement, comme si elle était fragile et malade.

— Wow, Alizée, c'était quoi ça? demanda Amélie, l'une des filles de l'équipe de *cheers*.

— Ah, je viens d'annoncer à Charlotte qu'elle n'est pas assez bonne pour continuer à faire partie de notre équipe. Disons qu'elle a un peu mal pris la chose. Elle n'est plus tout à fait elle-même depuis qu'elle suit une thérapie pour sa boulimie. Je pense que ses antidépresseurs ne fonctionnent pas bien.

— Ah oui? Elle est sous antidépresseurs, hein. Ça ne m'étonne pas. Cette fille, elle m'a toujours paru bizarre. Je trouvais étrange, aussi, qu'elle soit ton amie. Tu es si populaire et elle si… ben… pas comme toi.

— Mon amie? Non, je la prenais uniquement en pitié. Elle change d'école l'an prochain. Bon débarras! mentit-elle.

— Pas grave, on recrutera quelqu'un d'autre, ajouta Amélie. Il y a toujours plein de nouvelles filles qui veulent faire partie de l'équipe. Bon, maintenant que les examens sont finis, on s'en va se baigner chez moi, viens-tu ?

— Bonne idée, je passe prendre mon maillot et j'arrive, dit-elle en souriant.

Elle regarda Amélie prendre la direction opposée à celle prise par Charlotte et Sarah une minute plus tôt. Elle tourna la tête vers la porte, dans l'espoir d'apercevoir ses deux ex-amies une dernière fois, mais elles avaient disparu de son champ de vision.

10
La rupture

Alizée marcha d'un pas pressé jusque chez elle. Elle se dit que le fait de s'occuper avec son autre groupe d'amies lui ferait oublier la peine qui commençait à émerger tranquillement en elle. Que Sarah ne veuille plus lui parler n'était pas une surprise, mais elle ne s'attendait pas à une scène pareille venant de Charlotte. Son amie s'était toujours montrée douce et compréhensive. Et voilà qu'elle la traitait d'égoïste et de menteuse. Alizée repensa à toutes les méchancetés qu'elle aurait pu lui dire, et ce, devant plein d'élèves, mais à quoi bon. Charlotte changeait d'école et était vraiment en colère contre elle. Alizée laisserait passer quelques jours et tenterait de communiquer avec elle. Une fois Sarah déménagée, Charlotte serait seule au monde et peut-être ouverte à l'idée de lui pardonner. Mais rien n'était sûr… Au fond, peut-être était-ce un signe du destin ? Se faire un nouveau petit groupe d'amies ne serait pas trop difficile. Il faudrait qu'elle choisisse des filles sans histoire, des personnes saines d'esprit qui n'ont pas de problème de santé ou de mère malade… Comme ça, l'attention serait tournée vers elle… En arrivant près de son domicile, Alizée remarqua de petites choses étranges. Premièrement, tous les rideaux de la maison étaient tirés. C'était bizarre parce qu'elle se rappelait ne pas les avoir fermés la veille. Ensuite, elle remarqua que la voiture luxueuse de la femme qu'elle avait croisée quelques jours plus tôt, et que Charles lui avait présentée comme étant l'agente immobilière, était encore stationnée devant la maison. Elle constata aussi que le véhicule de son beau-père était stationné dans l'entrée et que le coffre était ouvert, rempli de boîtes. Elle continua à fixer la maison un moment et vit finalement la femme séduisante sortir, tenant une grande enveloppe brune. Était-ce un contrat de vente? Elle se dirigea vers son auto et sortit une grosse pancarte du coffre. À l'aide d'une masse, elle planta la pancarte sur le terrain, toujours sous le regard observateur d'Alizée. Elle recula pour s'assurer que son affiche était bien plantée et, satisfaite, retourna à sa voiture.

Bon, se dit Alizée, *Charles et maman ont décidé de mettre la maison en vente.*

L'agente revint vers la pancarte et y colla une bannière sur laquelle il était écrit: «Vendu».

Mon Dieu, pensa Alizée, *mais ils ont déjà vendu! Ç'a été rapide! Et ils ne m'ont rien dit, les hypocrites.*

Elle courut vers la maison et y entra, rapide comme l'éclair, sous le regard médusé de la dame qui s'appliquait à mettre son affiche en valeur.

— Maman ? Charles ? Où êtes-vous ? cria-t-elle, une fois entrée dans la maison.

— Alizée ? Que fais-tu ici à cette heure ? Tu n'as pas d'école ?

Alizée reconnut la voix de sa mère. Elle semblait se trouver dans la cuisine. La jeune fille alla donc l'y rejoindre en lui disant que l'école était terminée, mais elle s'interrompit dans son explication en apercevant l'allure de Nancy. C'était la première fois qu'elle voyait sa mère dans cet état. Ses cheveux étaient sales et désordonnés. Malgré la journée assez avancée et la température assez élevée à l'extérieur, elle ne portait qu'une grosse robe de chambre. Elle n'avait pas pris la peine de se maquiller et, fait très étrange, son cellulaire n'était pas greffé à sa main comme d'habitude. Un verre de vin blanc à moitié bu se trouvait devant elle.

— Maman, qu'est-ce qui se passe, exactement ?

Sa mère avait le regard vitreux de ceux qui buvaient ou prenaient de la drogue. Peut-être avait-elle pris un des narcotiques quelconques qui traînaient en permanence dans sa grande mallette de représentante pharmaceutique ?

— Aujourd'hui est le premier jour de notre nouvelle vie de misère, annonça-t-elle.

Elle leva son verre comme pour trinquer avec sa fille et avala une grosse gorgée de vin.

— Je ne comprends pas, maman.

— Eh bien, ma grande, Charles a décidé de nous quitter.

— Quoi ? Impossible. Il nous aime beaucoup trop.

Sa mère fit un sourire narquois. Plus l'alcool faisait effet, plus on aurait dit qu'elle allait s'effondrer sur l'îlot de granit de la cuisine.

— Oh non, il ne « nous aime pas beaucoup trop ». Après presque treize ans de vie commune, monsieur a décidé qu'il en a assez de nous. Nous sommes trop superficielles et méchantes à ce qu'il paraît.

L'élocution de sa mère se faisait de plus en plus difficile.

— D'accord, répondit Alizée, mais ça n'explique pas miss parfaite dehors qui met une pancarte « Vendu » devant notre maison.

— Ah ! Elle ? C'est son agente immobilière. Je suis sûre qu'ils couchent ensemble. Mais elle a fait du bon boulot. Elle a vendu la maison en moins d'une semaine. Ce qui veut dire que toi et moi, nous sommes à la rue.

Cette conversation devenait de plus en plus déroutante pour Alizée. Cependant, tout prit soudain un sens pour elle : les disputes entre sa mère et Charles, le fait qu'ils se regardaient à peine, qu'ils ne s'embrassaient plus, qu'ils faisaient des activités séparément. Depuis quelque temps, Charles critiquait ouvertement Nancy et devenait de plus en plus froid avec elle. Comment n'avait-elle pas pu remarquer ces indices avant ? Elle qui était toujours au courant de tout habituellement. Cette nouvelle était un choc. Déjà que sa journée avait mal commencé... elle tenta tout de même de rester positive.

— C'est correct, maman. On s'en sortira toutes les deux. Tant qu'on reste ensemble, on est fortes. On a assez d'argent. On n'a qu'à déménager et trouver une belle maison, dans un joli quartier. Les choses ne changeront pas tellement. Ce sera amusant de magasiner une maison, de la décorer et d'acheter de nouveaux meubles. Tu te plains toujours que tu en as marre de cette maison. On pourrait aussi faire un voyage, cet été. Ça changera le mal de place. Pourquoi on ne retournerait pas à New York ?

Sa mère se mit à rire franchement. Pas de son rire habituel, celui qui faisait tourner la tête de tous les hommes présents dans la pièce, mais bien d'un rire d'ivrogne, un peu rauque.

— Ce que tu peux être drôle, ma chérie! Mais ce ne sera pas possible, j'en ai peur. J'ai perdu mon emploi, hier.

— Quoi? Tu n'es pas sérieuse? Ton salaud de patron t'a renvoyée? Pas parce que tu refuses de coucher avec lui, j'espère?

Depuis plusieurs années, déjà, il était de notoriété publique que le patron de Nancy lui faisait des avances déplacées au travail. Sa mère le traitait souvent de salaud en riant. Charles, lui, ne trouvait pas la situation drôle et avait souvent menacé de le dénoncer aux autorités. Nancy banalisait généralement l'événement d'un mouvement de la main.

— Peut-être, mais ce n'est pas ce qu'il m'a dit. Il semble que la compétition soit féroce dans le milieu et que mon patron préfère engager une jeune poulette pour me remplacer. Un autre qui couche sans doute avec une cocotte en âge d'être sa fille... C'est ce qui explique mon absence des derniers jours. Je suis allée voir tous les clients que je connaissais pour qu'ils fassent jouer leurs relations auprès de mon patron afin que je conserve mon emploi. Mais peine perdue. Personne ne veut me venir en aide. Non, ma fille. Nous sommes seules au monde, maintenant. Et à la rue en plus, conclut-elle en terminant son verre et en le remplissant, vidant la bouteille du même coup.

— Je vais lui parler, moi, à Charles. Je saurai le convaincre de rester avec nous.

— Pfff… bonne chance ! Tu n'arriveras jamais à lui faire entendre raison, mais libre à toi. Moi, je vais me prélasser dans le jacuzzi pendant que je peux encore en profiter.

Sa mère enleva sa robe de chambre et sortit dehors nue. Alizée put la voir entrer avec difficulté dans le spa et se laisser glisser dans l'eau chaude bouillonnante. Pendant un instant, l'idée qu'elle puisse se noyer accidentellement en s'endormant à cause de l'alcool lui effleura l'esprit. Mais sa mère était assez grande pour prendre soin d'elle. Elle partit à la recherche de Charles. Elle le trouva dans le cadre de la porte, une grosse boîte entre les mains. Il s'apprêtait à partir sans lui dire au revoir.

— Charles, attends ! Tu pars comme ça ? Sans dire au revoir ?

Son beau-père eut l'air embarrassé par son geste.

— C'est beaucoup mieux ainsi, dit-il tout simplement.

— Charles, couches-tu avec l'agente immobilière ? demanda-t-elle de but en blanc.

Il soupira et se passa la main sur le visage en signe de lassitude.

— Non, Alizée, je ne couche pas avec Lucie. Elle m'a seulement aidé à vendre la maison et à en acheter une nouvelle.

— Dans ce cas, pourquoi tu ne restes pas avec nous ? Si tu n'as personne d'autre dans ta vie, tu n'as aucune bonne raison de nous abandonner…

Le commentaire d'Alizée surprit Charles. Mais il lui devait tout de même quelques explications. Après tout, ils avaient partagé le même foyer pendant plusieurs années.

— Alizée, les choses sont plus difficiles que ça. J'étouffe avec vous. Depuis longtemps, en plus. Je sais que le moment est mal choisi, avec ta mère qui a perdu son emploi et tout, mais ma décision est prise. Je ne peux plus reculer. Je vous laisse un mois pour trouver un nouveau logement et vous remettre sur pied. À mes frais. C'est assez généreux, je pense.

— Mais je pensais que tu nous aimais, plaida-t-elle.

— Je viens de tout t'expliquer, Alizée. Ne fais pas l'enfant, tu es assez intelligente pour comprendre.

— D'accord. Je comprends que tu laisses maman, mais on ne divorce pas de ses enfants. Tu ne peux pas cracher sur les douze dernières années que nous avons passées ensemble. Quand allons-nous nous voir ? En as-tu discuté avec elle ? Je peux vivre avec toi une semaine sur deux si tu déménages proche d'ici... Ou même une fin de semaine par mois. C'est toi qui décides.

Charles eut l'air encore plus mal à l'aise. Son regard évita celui d'Alizée, se posant plutôt sur la pancarte rouge et noire portant la bannière d'une compagnie immobilière réputée dans la région. Il vit Lucie qui l'attendait, appuyée nonchalamment contre sa voiture. Elle parlait au téléphone, mais prit tout de même le temps de sourire à son séduisant client, qui lui avait permis d'empocher plusieurs milliers de dollars.

— Écoute, Alizée, c'est difficile à dire, mais – il hésita – nous ne nous reverrons plus toi et moi.

— Comment ça ? Je ne comprends pas, ajouta Alizée d'une toute petite voix.

— Eh bien, tu n'es pas ma fille. Voilà.

Pas sa fille ? Le commentaire lui fit l'effet d'un coup de couteau. Avait-elle bien entendu ? Elle se revit, à cinq ans, en train de se faire bercer par Charles, en larmes parce qu'elle faisait une otite et que sa mère n'était pas là pour la consoler.

Son beau-père lui chuchotait des paroles rassurantes, lui promettant que la douleur passerait rapidement. Elle repensa à tous les beaux moments qu'ils avaient passés ensemble. La fois où il l'avait emmenée aux glissades d'eau et qu'ils avaient ri comme des fous quand Charles avait perdu son maillot lors d'une descente; quand il l'avait inscrite à ses cours de gymnastique et qu'il l'y accompagnait chaque fin de semaine; les moments où ils allaient manger une pizza sans le dire à Nancy qui détestait la nourriture grasse; la fois où il l'avait consolée parce que quelqu'un avait dit qu'elle était un bébé de laboratoire. Il lui avait montré à rester forte et en contrôle de toute situation. Chaque jour, depuis plus de douze ans, il avait été présent pour elle, lui offrant ce sourire dont lui seul avait le secret, lui faisant des clins d'œil discrets quand sa mère proposait des plans plus phénoménaux les uns que les autres. Il était l'homme dans sa vie, le modèle masculin auquel elle aspirait. Tous ces beaux moments et ces pensées défilèrent en un instant dans sa tête. Comment pourrait-elle vivre sans Charles? C'était impossible. Elle avait besoin de lui. Mais au lieu de pleurer, Alizée serra les dents et prit un air hautain avant d'ajouter:

— Très bien, Charles. Tu n'étais pas si bon comme père, de toute façon. Ma mère et moi, on n'a pas besoin de toi. Va rejoindre ta pute qui t'attend là-bas. Fais-lui des bébés. De cette façon, tu nous oublieras plus facilement, maman et moi.

Charles se renfrogna. Il agrippa sa boîte et prit la direction de sa voiture. Mais avant de claquer la porte, il ajouta avec dédain : « Tu es pareille à ta mère... »

Alizée attendit que la voiture tourne au coin de la rue pour laisser échapper ses larmes. Était-ce des larmes de fureur ou de tristesse ? Elle n'en savait rien. Elle les essuya avec rage et claqua la porte. Elle se dirigea vers le salon et regarda par la fenêtre. Peut-être que Charles reviendrait s'excuser ? Lui dire qu'il s'était trompé. Qu'il quittait sa mère, mais qu'il souhaitait encore la voir, elle. Mais il n'y avait aucune voiture à l'horizon. Sa mère apparut derrière elle. Bonne nouvelle, elle ne s'était pas noyée endormie dans le spa. D'ailleurs, le bain chaud semblait l'avoir revigorée un peu. Elle avait même pris la peine de remettre son peignoir. Elle s'installa près d'elle sur le sofa et lui prit la main d'un mouvement qu'elle voulait sans doute rassurant. C'était elle, l'adulte, après tout.

— Ne t'inquiète pas, ma belle, nous nous débrouillerons sans lui.

— Je n'en doute pas, maman.

— Toutefois, nous devrons changer de rythme de vie, le temps que je trouve un autre emploi. Ça ne devrait pas me poser trop de problèmes, mon patron m'a promis une lettre de recommandation.

— Hum, hum…

— En attendant, j'ai parlé à ta grand-mère. Elle va te prendre chez elle pour l'été.

— Quoi? Pourquoi? Je peux rester ici, je suis assez grande.

— Je n'ai pas envie de t'avoir dans les pattes pendant que je fais les boîtes et que je magasine un appartement.

— Un appart? Mais on ne va pas acheter une maison?

Sa mère eut l'air mal à l'aise. Autant elle aimait parler d'argent quand elle était en couple avec Charles, autant le fait que celui-ci les quitte allait changer leur rythme de vie. Elle s'était beaucoup endettée au cours des dernières années et devait payer ses dettes avant de pouvoir accéder à un nouveau prêt hypothécaire.

— Ne t'inquiète pas, nous trouverons quelque chose de charmant.

— Mais je ne veux pas passer l'été sur la Côte-Nord. J'ai mes amies, ici.

Mais quelles amies, exactement ? Elle se le demandait bien.

— C'est non négociable. Ton billet de train est déjà acheté. Tu pars dans deux jours, ta grand-mère a bien hâte de te voir. Ça fait longtemps que tu l'as visitée.

— En train ? Même pas en avion ? Mais ça va prendre toute la vie me rendre jusque-là ! Je ne veux pas y aller.

— Eh bien, tu devras t'habituer. Fini le luxe, dit-elle avant de se mettre à pleurer.

Elle laissa sa fille seule sur le canapé et se réfugia dans sa chambre pour pleurer toutes les larmes de son corps.

— Tu ne peux pas me forcer ! J'ai quinze ans et je suis assez grande pour prendre mes décisions toute seule ! cria Alizée à sa mère.

Mais elle n'obtint, pour toute réponse, que le claquement d'une porte. Alizée eut envie de faire de même en réfléchissant à tout ce qui s'était produit dans les dernières heures. Ses deux meilleures amies la reniaient, son père l'abandonnait, sa mère était devenue pauvre et l'envoyait en exil au fin fond de la Côte-Nord. En l'espace d'une journée, son monde s'était effondré. Plus d'amies, plus d'argent, plus de père. Elle, pourtant si forte habituellement, se dit que jamais elle ne survivrait à tout cela…

M
MARQUIS
Québec, Canada